CONTOS EXEMPLARES

Título: Contos Exemplares
Autor: Sophia de Mello Breyner Andresen

Ilustração: *A Viagem;* © ZeRo.

© Herdeiros de Sophia de Mello Breyner Andresen
© Figueirinhas

Edição e Distribuição: Figueirinhas
Rua do Freixo, 635 – 4300-217 Porto
T 225 309 026 – F 225 309 027
Rua da Prata, 208 - 2º – 1100-422 Lisboa
T 218 879 268 – F 223 325 907
correio@liv-figueirinhas.pt

37.ª edição, 2010

Impressão: ITC - Porto

Depósito legal nº 310560/10
ISBN: 978-989-8230-22-5

Sophia de Mello Breyner Andresen

CONTOS EXEMPLARES

 figueirinhas

Para o Francisco
que me ensinou a coragem
e a alegria do combate desigual.

«Heles dado el nombre de
ejemplares, y si bien lo miras no hay ninguna de
quien no se pueda sacar un ejemplo».

CERVANTES, «Prólogo al Lector», em *Novelas Ejemplares*.

PÓRTICO

Contos Exemplares – *Provocação, desde o próprio título!... Contar histórias, e histórias exemplares, nestes tempos de literatura – romance, novela, filme ou poema – sem herói, sem personagens, sem enredo, sem objecto, sem desfecho?*

Fazer exemplares *estes contos, quando certa literatura* up to date *se quer situar fora da moral e dos valores – a moral que é tida como a defesa, a máscara embelezante dum tipo de sociedade inutilmente opressiva e repressiva – fora também da coerência e do bom senso, para instalar-se comodamente (ou angustiada e nauseadamente, tanto vale!) na dispersão, na confusão, no Absurdo, Angústia e Náusea?!*

Quando o mundo literário, face à vida, parece ser, e em certos casos se regozija de ser, o espelho partido num milhão de estilhas, que ninguém jamais há-de conseguir compor e ajustar, ou o entrecruzar sucessivo de estados de consciência – assim ditos, mas na realidade meros estados de sensação ou de inconsciência agitante – que nenhum sujeito ligará num presente e nenhum relógio conseguirá jamais pendular numa sucessão registável em mostrador, neste tempo em que, parodiando uma frase célebre, podíamos dizer que mal se encontra terceiro na alternativa entre a literatura de miséria e a miséria da literatura, neste tempo fazer contos sãos, descomplexados e serenos, contos com princípio, meio e fim, contos que o são em literatura de sempre e, por demais, exemplares para todos os tempos?!...

Sentindo-o talvez e acautelando a objecção, parece Sophia querer tutelar-se com a autoridade de Cervantes, que intitulava também as suas Novelas de exemplares. *Neste confronto, que a Autora mesma nos oferece, mais útil que perguntar se os seus contos precisavam desse patrocínio – e eu perten-*

ço aos que sem hesitação responderiam que não – seria pôr frente a frente, para valoração qualitativa e mesmo quantitativa, o que há de cristianismo hoje e o que havia no «grande século», nesses celebrados «séculos de fé» (não esqueçamos nunca, com efeito, que a Literatura é a floresta dodónia onde as harpas suspensas são desferidas pelos ventos da história, a oferecer-nos os sinais dos tempos: e não será nos mares podres da calmaria ou nos refegos dos mantos ou capas – ou capelas e capelinhas – que guardam das constipações, não será fora do tempo que se julgará da vida, inclusivamente da vida da fé). Sob este aspecto, e sem mesmo levar muito longe e muito fundo a análise, tornar-se-ia evidente que qualquer valoração compreensiva seria certamente favorável aos contos de Sophia bem como à literatura de hoje quand même. Em boa verdade, nem mesmo chegamos bem a compreender por que motivo Cervantes qualificou de exemplares as suas Novelas, nem como e porquê se justificou argumentado que «si bien lo miras no hay ninguna de quien no se pueda sacar un ejemplo». (Não compreendemos a não ser que nos decidamos a compreender bem de mais... E esse bem de mais participaria do tempo e do modo... de então.) É bem certo que de tudo, da natureza bruta, das árvores e das flores como dos cardos, das pombas e das águias como dos chacais, se pode tirar um apólogo, que se pode elaborar a partir de tudo um símbolo ou um exemplo. Exemplar porém, no sentido humano e moral, parece ser outra coisa.

Que dum mundo de pícaros e de bravos, de «bulderos» e «oracioneros», de «gitanillas» e «fregonas», desse mundo evocado com total realismo e descaso (a não ser o formal e indispensável moralismo de conformidade social, para se furtar *ao perigo de ser, ele próprio, dado como solidário dessas sub-sociedades) o «manco de Lepanto» e grande Burlador esperasse que os leitores tirassem lições morais será presumir um pouco demasiado das virtudes da leitura. Assim, por exemplo, quando Cervantes, depois de alongar-se com volúpia literária na descrição pícara e germanesca da sociedade de tunantes e sicários em que vão cair os jovens Rinconete e Cortadillo, termina por dizer à conta duma breve veleidade de «não durar muito naquela vida tão perdida e tão má, tão inquieta e tão livre e tão dissoluta» dos dois noviços, na verdade bem prometedores, vem a dizer que deixa para outra ocasião e para mais longa escritura o contar entretanto* «su vida y milagros con los de su maestro Monopodio, y otros sucesos de aquellos de la infame academía, que todos serán de grande consideración y que podrán servir de ejemplo y aviso a los que los leyeren», *quando provoca de tal maneira o sentido comum, haverá que pensar em qualquer intenção reservada, em qualquer chave críptica para entrar na explicação das intenções. Não será porventura a mesma razão que o levou a escrever aquele prefácio ao* Quixote, *tratando-o de historieta de mera diversão, de ociosa* nonnada *para leitores desocupados? É que aqueles tempos de Inquisição, e ainda mais de sociedade que fez a Inquisição, pediam certas regras de sabedoria de viver e escrever, que facilmente hoje nos podem escapar...*

Como quer que seja, o que mais impressiona nas Novelas Ejemplares, *como em muita outra literatura do tempo, é o vazio, o oco espiritual, a carência do religioso autêntico, isto é, cristão. Apelo do Evangelho, sentido cristão da vida, temor ou tremor diante do infinito mistério de Deus e da morte própria é praticamente inexistente nas* Novelas Ejemplares, *quer no cerne quer na casca, neste marginal e climático das histórias, onde a atmosfera ético-mental dum tempo, ao menos aí, devia aparecer.* E outro tanto se poderia dizer do Quixote, *quer nos idealismos deseixados do Cavaleiro da Triste Figura quer nos ideais de Barataria do seu triste escudeiro. Parece que, tanto na dimensão de apelo como na de temor e tremor, bastava o pensamento sempre presente da sociedade sacral a que se pertencia: «Aqui, amigo Sancho, topamos com a Igreja; e isso é muito sério.» A Igreja em vez de mediação, parece tornar-se obstrução, tapa-horizonte. E lembremo-nos que, em qualquer teologia válida, há-de Deus aparecer-nos mais propriamente como o horizonte de todo o conhecido, como o mistério-fronteira, lá no mais alto cume do humano. Por isso os maiores escritores do «grande século» renascente espanhol, como os nossos da centúria precedente, e Camões mais que outros, nos aparecem singularmente vazios de conteúdos evangélicos, «caminhando* sem Deus nesta vida», *para usar a expressão paulina a respeito dos homens de cultura helénica, desses primeiros clássicos. E este caminhar sem Deus, sem o Deus revelado em Cristo, quanto mais real, tanto mais se cobre com infindas mostras de conformismo sócio-religioso e com exuberantes manifestações duma política católico-nacionalista. Isto, que é bem visível e talvez visivelmente formal no romancear do glorioso e desditado «manco de Lepanto», será (ou seria...) de ver-se mais claro e parece que menos formal no nosso não menos* miles gloriosus *e ainda mais desditado Trinca-Fortes, mirolho de Marrocos, obnubilado por fumos da Índia, enrouquecido de epopeia e destemperado de lira renascente e imperial: valeria bem a pena analisar algum dia a epopeia nacional ou mesmo não apenas* Os Lusíadas *mas toda a lírica camoniana (e a restante, não eclesiástica) à luz de Evangelho eterno, a ver o que ficava de válido. Mais valerá porém não começar, nem sequer começar...*

Historiadores há ou críticos da história cultural, como Huizinga ou Ortega y Gasset, que consideram os séculos XIV--XV como os tempos mais sem horizonte e esperança, sem amanhã e sem além, mais fechados no humano e material, no mortal e desesperado, mais sem-Deus portanto, diremos nós, de toda a história post-Christum; porém se ponderássemos as coisas à luz doEvangelho autêntico, que outra coisa poderíamos dizer dos séculos XVI e XVII, à parte o novo surto de esperança (de essência renascente e portanto pagã) e as proclamações de conformismo e triunfalismo católico! Afinal será, com diversa expressão formal, a mesma coisa que além-Pirenéus um Montaigne exprimia, a benefício do mesmo conformismo católico: a religião é coisa tão veneranda e sagrada, coisa tão de teólogos e de curas de almas, que é melhor não lhe tocarmos (nem sequer com uma flor de retórica). E, com esta cláusula salvadora, vá de escrever Ensaios de pleno naturalismo, de cepticismo e paganismo redundantes! E por isso vários críticos têm notado, com tanto mais razão quanto menos geral aceitação, que um Montaigne ou um Rabelais são já piores que um Voltaire ou um Bayle. Mas para o compreender é preciso fixar-se bem no que é realmente existir com Deus ou pelo contrário «caminhar-sem-Deus na vida», mesmo que seja ao ritmo e sob o estandarte de cruzada ou da procissão...

*

Talvez algum dia se venha a reconhecer que o maior pro-

vocador, e por isso instaurador, no nosso tempo, da Teologia cristã foi Nietzsche ao proclamar, e ainda assim só pela voz dum louco, o louco do grande drama da busca de Deus (que é preciso ser-se louco para ter coragem de buscar Deus, de verdade, e de o dizer): «Deus morreu... Nós outros, tu e eu, o matámos!... Como pudemos nós fazê-lo... beber todo o mar... safar à esponja todo o horizonte... desencadear do sol esta nossa terra?!»

Este espanto, este sentido apocalíptico das proporções, este calafrio de tragédia do caminhar-sem-Deus nesta vida é o bom princípio. Negativo sim, mais silêncio que voz, mais aspiração que satisfação, mais fome que indigestão: é esse o bom princípio. Que o grande pecado da cultura moderna – pecado, em verdade, não original mas herdado de toda a cultura anterior, sobretudo da cultura medieval decadente – o grande pecado cultural tem sido «usar o santo nome de Deus em vão» *(assim dizia a Cartilha, mais infelizmente esquecida ou não advertida neste ponto do que em tantos outros). Deus, fundamento de toda a Lógica ou de todo o Método para um Descartes, Deus, fundamento de toda a Ética para um Spinoza, Deus, fundamento de toda a Retórica para os pregadores e literatos barrocos, Deus, fundamento de toda a política para um Cromwell, o primeiro dos ditadores modernos, isto é, de Estado totalitário (por Deus ou contra Deus:* «tanto monta, monta tanto!»*), Deus enfim fundamento de tudo quanto o homem se lembra de construir a seu bel-prazer. E, para mais, um deus claro e distinto, um deus mais evidente do que este pau ou esta pedra, um deus unívoco com as nossas ideias racionais e racionalistas –* Verum sive intellectus, Deus sive natura, *para Spinoza e para os spinozistas, que todos somos um* *pouco (mesmo os tomistas, quando dormitam) para quem «o primeiro artigo de fé é um racionalismo que postula a total inteligibilidade de Deus e das coisas» (J. Lacroix).*

E por acréscimo um deus sem Mistério nem mistérios, um deus mais claro e visível do que o sol meridiano — como se o sol ao meio-dia nos fosse visível!... Hoje, talvez, em linguagem mais culta, saborosa e rápida: Deus valor supremo e fonte de todos os valores! Esse novo equívoco que já Nietzsche denunciava e do qual diz Heidegger com toda a razão: «O último golpe contra Deus e contra o mundo supra-sensível consiste em que Deus, o existente de todo o existente, seja rebaixado à condição de valor supremo. Não porque se tenha Deus por incognoscível, não porque se demonstre que a existência de Deus é indemonstrável, se assesta o golpe mais duro em Deus, mas sim por elevar meramente a valor supremo o Deus tido por real. E, com efeito, esse golpe não vem dos profanos que não crêem em Deus, mas dos crentes e dos seus teólogos»...

Usar o santo nome de Deus em vão e caminhar-sem-Deus na vida tranquilamente não parece ser facto de hoje; ao menos não terá hoje boa imprensa... existencialista. Sobretudo na Filosofia e na Poesia, que tantas vezes se disputam, ou entre si comutam o terreno ontológico, uma como análise, outra como criação. É bem certo que há, nesses domínios, quem continue a malbaratar o nome de Deus, apondo essa etiqueta, como os primeiros cristãos exprobravam ao paganismo, a tudo quanto se lhes antolhe, menos ao único Deus vivo e verdadeiro; não é hoje porém fenómeno próprio dos mais nem dos melhores. Sobretudo não dos mais autenticamente religiosos. Não andaria muito longe da certa verdade Fernando Pessoa quando notava que, entre nós, os poetas religiosos não eram católicos

e os poetas católicos não eram religiosos. Evidentemente tudo
é discutível, até mesmo o que quer dizer «religioso» (e sabemos a dialéctica entre «o religioso e o cristão», a partir de
Bonhoeffer); mas será de reconhecer que usar o «santo nome
de Deus em vão» não é por um lado pecado exclusivo de poetas cristãos e por outro lado não parece ser da melhor actu-
alidade entre os mais válidos.

*

Coisa totalmente diversa será de dizer-se a respeito dos
conteúdos religiosos. Sem geralmente o proclamar, talvez mesmo sem por vezes o querer admitir, a Poesia hoje, como o
Pensamento puro, move-se na fronteira do humano, pisa o
terreno ôntico e interroga-se sobre a outra face do Ser e mesmo
sobre o trânsito entre as duas faces (não será mera casualidade
que dois homens, amadurecidos na vida profissional, iniciem
uma carreira literária com romances do título Le Passage e
L'Examen de Passage, como «grito, confissão e testemunho»
sobre o tema «inefável» da morte, enquanto a juventude se
entrega às experiências loucas e por vezes suicidas do «Grand
Jeu», dos automatismos psíquicos, do L. S. D. e outras dro-
gas, para «ver» o que está do outro lado).

O perigo não será hoje a carência de conteúdos religiosos;
o perigo estaria antes no excesso e nos desvios. Todo o poeta
quererá hoje sentir, como Ovídio: Est deus in nobis, agitante
calescimus illo. Mas, talvez para evitar o próprio nome divino, prefira o estilo platónico de pensar: «É em vão que ba-
terá às portas da Poesia aquele que se mantém senhor de si».
E admitirá talvez, com Aristóteles, que «não há grandeza de

engenho em mistura de demência»; mas verá essa de-mentia
*mais do lado do mistério poético, inefável como o ser e a vida,
do que do lado do seu hierofante. Isto é, para o filósofo ou poeta antigo, a Poesia era o êxtase, o estar fora de si, o estar no
divino, por própria palavra o estar-em-Deus, o entusiasmo*
(en-thousiasmos, entheos).

*Que a poesia de hoje, ao contrário dos meros jogos de
engenho da idade barroca, quer ser e é religiosa nos seus melhores expoentes, não carece de qualquer demonstração nem
sequer mostração. O que ficará em problema e constitui um
grande e interessantíssimo problema para o filósofo e para o
teólogo, é se será cristã ou aliás se e como poderá ser cristã.
Rainer Maria Rilke, o «puro poeta», o poeta do nosso século
(ainda não substituído e que talvez bem tarde o venha a ser)
não só é e se quer religioso, mas mais do que isso* sacerdotal*:
e sacerdotal não no mero sentido sacrifical dos pagãos, mas
no amplo sentido cristão (que ele teria por pós-cristão) do
pastor, do celebrante do culto e do mediador para com Deus.
E sendo assim, não apenas geralmente cristão, mas propriamente católico.*

*Conhece-se a imagem e conceito de que Martinho Hei-
degger fez o núcleo e foco da sua Filosofia, o conceito do homem como pastor do Ser: «O Homem não é o senhor do existente. O Homem é o Pastor do Ser.»* (Der Mensch ist nicht
der Herr des Seienden. Der Mensch ist der Hirt des Seins.
– Über den Humanismus.) *Contra o desvio profundo que
vem de Descartes e dos nominalistas, e que é igualmente a
fonte do voluntarismo moderno, esse desvio que põe o homem como senhor da verdade, portanto do Ser, portanto do
Existente (homem = alma = inteligência = acto de pensar =*

cogito = verum = *verdade* = *existente: racionalismo, imanentismo, relativismo), contra o empirismo e pragmatismo, que é o próprio fim do mundo inteligível e com ele do pensamento puro, Heidegger quis restaurar o respeito pelo Ser ou pelo existente na sua realidade ôntica. Para isso o homem não pode enfrentar-se ao ser como contendor, como inimigo e eventual vencedor, conquistador e redutor. Se deve certamente investigar sem fim (mesmo por esses* Holzwege *– caminhos da floresta, caminhos sem saída, veredas de maranha ou sendas perdidas) o pensador não pode propor-se a criação, a posse senhorial, o senhorio da verdade (com que facilidade confundimos invenção, que é descoberta,* aletheia, *com criação, que é fazer do nada: e como poesia, com o próprio nome, que é nome de fazer ou criar, se presta a equívoco!).*

Ontologicamente não é a verdade que é do homem: é o Homem que é da Verdade. Nem mesmo o pensador se pode pôr frente ao Ser, pois que ele próprio, o homem, está dentro do Ser. Estranhar-se ao Existente é já pôr a coisa-em-si como algo de estranho e tão longe do homem que este jamais o atingirá (estranhar-se onticamente, queremos dizer, não metodologicamente. O lógico vem depois do ontológico, na ordem real). A oposição sujeito-objecto, se posta em relação de domínio e redução, tornar-se-á insuperável, irredutível: a caverna platónica fechar-se-á para sempre no imanentismo, idealismo, solipsismo.

A saída só pode encontrar-se, por sobre o limiar da evidência ôntica, pela simpatia, comunicação ou comunhão na unidade primordial do ser-entitativo e do ser-verdadeiro. Comunhão, opção pelo ser e pelo afirmativo, sim *dito ao ser, «guarda do ser» no amor: Heidegger retoma, atribuindo-a* ao Mestre Eckardt em comentário ao Areopagita, uma frase que é afinal de toda a Escolástica medieval: «o amor é de tal natureza que muda o homem na coisa que ama». E assim reencontra o bom caminho platónico (que o próprio Platão depois veio a perder: tão difícil ele é de guardar!): importa ir para a Verdade com toda a alma, isto é com todo o nosso ser de homens. E esse é, só pode ser (nem admira pois que Platão o perdesse) o caminho do amor ou da graça de Deus em Cristo.

Pois bem, essa imagem-base do conceito central da sua filosofia, como de qualquer Ontologia válida, foi Heidegger buscá-la a Rilke, ao núcleo central do esforço de intuição poética de quem ousou pensar: «cheguei ao outro lado da natureza», naquilo que considerava uma experiência mística «de uma exactidão quase raiando no Absoluto».

Heidegger reconhece expressamente que a sua frase-chave sobre o homem como der Hirt des Seins provém de Rilke, e directamente da «Trilogia Espanhola», que conta entre os três poemas mais altos da Humanidade. E aqui poderíamos citar em reforço o testemunho de Angelloz, tradutor de Rilke e amigo pessoal de Heidegger, segundo o qual o grande filósofo lhe teria dito em certo momento que a sua filosofia não era mais que o desabrochar conceptual daquilo que Rilke tinha dito poeticamente (o que de facto parece confirmado na suas obras, desde que não seja exclusivo, pois com Rilke irmanam Hölderlin, H. von Hofmannsthal, etc.).

Da sua experiência existencial de Espanha, que tanto tinha ansiado e que tão profundamente o marcou, o poeta das Elegias de Duíno porá acima de todas as outras imagens-visões a do pastor, como se fora o próprio espelho da sua poética tarefa vital. *Já perto do fim da vida, num poema de 1924, quer* «*magnificamente imaginar uma árvore*... / *cujos ramos infinitamente se inundam de vento e de pássaros* / *e debaixo à sua sombra,* em puro ofício pastoral / *meditam os pastores e repousam os rebanhos*».

E no próprio ano da sua morte, num poema para o conde de Lanckorónski, lembra ainda: «*devem estar aí como* o pastor que atura; / *de longe pode parecer que se acha descuidado* / *porém ao acercar-nos, sentimos que vigia*».

O poeta não receia empregar a expressão canónica Hirtenamt, *o ofício ou múnus pastoral, para qualificar a tarefa vital e sacerdotal que se atribui como* Priester *da natureza, da vida e da morte integradas na consciência do homem, cuja missão transcendente é fazer do visível invisível, transformar o natural em espiritual. É com fulgor transfigurante que o canta na Nona Elegia, a caminho da Décima na qual se proporá deixar como que a sua final* «*Divina Comédia*» *que integre na vida a morte,* «*a morte própria*»: *Ó Terra, não é isto o que tu queres: ressuscitar invisível em nós? Não é este o teu sonho: fazer-te alguma vez Invisível? Terra! Invisível!* / *Que é senão transformação a tua imperiosa Mensagem?* / *Terra, oh tu, amada Terra, eu o quero!*»

Esta missão pastoral, *que na Nona Elegia (a caminho, repita-se sempre, da Décima) parece já assumida e digerida na própria aceitação da* «*terra*» *como morte-vida ou transfiguração pessoal, esta missão vem desde o princípio da sua conscientização poética e encontra projecção e expressão na paisagem anímica de Espanha e dos seus pastores.* «*Porque havemos de andar deste modo pela vida* / *tomando sobre nós coisas tão estranhas...* / *porque havemos de estar aqui como o pastor* / *tão exposto à desmesura do influxo cósmico?*»

Assim na «Trilogia Espanhola», como depois no poema «Exposto sobre as cumeadas do Coração», o poeta se compraz em mergulhar no risco existencial da identificação cósmica: «De mim e de tudo isto (estrelas, serranias, ventos nocturnos, dos rios profundos) fazer uma só coisa, Senhor, Senhor, Senhor, a coisa que cósmico-terrenal como a estrela cadente reúne em sua gravitação tão-só a soma: não sopesando senão a chegada», isto é, o desaparecimento da estrela cadente ou a «morte própria do poeta». O que é possível para o pastor com seu rebanho, comenta Bollnow, «deve sê-lo também para o poeta com a sua Missão. Há-de realizar em si mesmo o ser pastor (das Hirt-sein). *Assim exposto o poeta-pastor «à desmesura do espírito cósmico»* (so ausgesetzt dem Übermass von Einfluss) *assume o risco da identificação cósmico-existencial: «como a luz que de noite oscila por trás da pala, assim me situo eu no seu interior», isto é, dentro do pastor «a quem atravessam as sombras das nuvens, como se morosamente o espaço pensasse pensamentos por ele». E sente-se grandiosamente exaltado a um sacerdócio cósmico: «Eis aqui o* tempo do comunicável, *aqui está a sua pátria. Fala e proclama!...» É isto, para Rilke, o pastor: e «seja o que for para os outros»!...*

Em todo este enorme esforço de compreensão, identificação e transfiguração, nesta espécie de «via unitiva» dos místicos, em que há muito do paralelo esforço de Santo Agostinho (que o poeta conheceu e de quem muito transfundiu na sua aspiração ao «Aberto», na tendência para o «espaço interior do mundo» e na luta integrante da meditatio mortis), *bem como da imaginação e eidética religiosa do* Flos Sanctorum *do P. Ribadeneira, neste esforço há sempre, à base, a imagem do pastor espanhol: «Em Ronda o que mais me interessou foi*

a vida dos pastores, a sua existência assente sobre as grandes
e rochosas faldas das montanhas com seus pictóricos azinhos,
cada um dos quais se enche de obscuridade como a sombra
que lançam as nuvens por sobre a paisagem... os pastores com
seus grandes cajados cruzados sobre os ombros, esse calado,
moroso e pensativo estar-fora, através do qual flui em toda a
sua amplitude a majestade do dia».

Poeta, profeta, pastor do Ser, Priester, Hirtenamt!*... Mas*
não se contenta Rilke com isso; quer-se também sacerdote,
Celebrante. Louvar, celebrar – preisen, rühmen *– são da sua*
linguagem-base, da sua semântica e semiótica de fundo. Desde
o poema de 1914, «A Queixa» (Klage), *até à Décima Elegia e*
aos Sonetos a Orfeu, *numa marcha lógica que ele pensava ser*
de sentido órfico e anticristão – o que consideramos sujeito a
caução – o tema celebração-comunhão avança em ritmo grave
e solene. «Só no espaço da celebração é acolhida a queixa»...
«Dize, oh poeta, que fazes tu?– Eu celebro!... eu celebro!... E
por que é que o silêncio e a impetuosidade, como a estrela e a
tormenta, te conhecem? – Porque eu celebro!...»

Este tema da celebração, que já aflora no Livro das
Horas, *não aparece consolidado definitivamente até à épo-*
ca tardia, como faz notar Bollnow, isto é, como esclarece
Alemparte, até à residência do poeta em Duíno, onde irrom-
pem os primeiros elementos das Elegias, *o que coincide com*
a elaboração dos poemas da Vida de Maria *e com as leitu-*
ras meditadas de Santo Agostinho e do Flos Sanctorum. *E é*
muito curioso, e mesmo com o seu quê de pitoresco, que esta
ideia de celebração chegue aos extremos da expressão litúrgica
a partir do episódio daquele encontro, nas ruas de Córdova,
«com uma cadelita feia, em adiantado estado de prenhez...

que veio a mim porque ambos estávamos completamente sós...
levantou os olhos alargados de tanta preocupação e intimi-
dade, solicitando um olhar meu. E no seu olhar reflectia-se
toda essa verdade que transcende o individual, para dirigir-
-se não sei bem onde, lá para o porvir ou para o incompreen-
sível. Aproximou-se tão sem rebuços que chegou a compar-
tilhar duma pedra de açúcar do meu café... celebrámos a
missa *juntos. A acção não foi de si mesma mais que um dar*
e receber, mas a significação, a gravidade e a nossa absoluta
compenetração foram ilimitadas... Ainda quando isto não
seja de modo algum heróico... estar-se-á maravilhosamente
disposto para o estado divino».

Haveria talvez a reacção de considerar este descritivo
como um trecho blasfematório ou ao menos como um desgarre
de louca frivolidade. Seria isso recusar pura e simplesmente
Rilke e tudo quanto ele pensava ser a sua mensagem ao mun-
do, e que o mundo da Poesia aceitou. Esse episódio crescerá no
seu mundo interior até se tornar o XVI *dos* Sonetos a Orfeu
(I parte), o qual soneto lhe brotou com tal espontaneidade
que ficou um enigma até ao momento em que o soneto, sur-
preendido pela surpresa que causava, explicou que era a um
cão que ele dizia: «Tu, meu amigo, tu és solitário... precisamos
de suportar juntos aquilo que não é senão pedaços e fragmen-
tos, como se fosse o Todo... Acima de tudo não me plantes no
teu coração: eu cresceria demasiado depressa.» Mas, já desde
o princípio, o poeta vira nessa experiência como que o convite
à mudança radical que seria necessária para chegar a dar-se
ao «Aberto», à periculosidade existencial pura, a um «estado
de graça» tal que deixando a «obra dos olhos» pudesse intuir
e cantar a «obra do coração», mudança essa que ele ideava

e plasmava segundo a eidética dos místicos cristãos e que exprimia com as palavras de Ângela da Foligno, e na própria língua em que as lera, como la nouvelle opération. *E reconhecia, em relação com o episódio de Córdova, que ainda não fora bastante longe para esperar esta* nouvelle opération *em virtude duma intervenção de qualquer ser humano: «porém para que esperá-lo, visto que é a minha sina passar de largo face ao humano, para projectar-me todo até ao extremo, até à margem da terra?...»*

Aqui se situa o terceiro ponto da sua missão «sacerdotal» – a mediação, o sacra-dans, *a transfiguração, o teândrico ou teocósmico (eventualmente certo paralelismo com a actividade mediúnica, já que Rilke se interessou marginalmente pelo ocultismo). A experiência gustativa, palatal, de Deus é um dos termos da sua aspiração e expressão: «deglutir suave e constantemente a Deus, como o sumo dum fruto que se desfaz na boca»* (Gott fortwährend mild zu verschlucken wie Saft einer Frucht die zergeht). *E é interessante que esta imagem se repete, num sincretismo religioso que Rilke levou muito longe, em interpretação do ambiente islâmico da mesquita de Córdova e depois, e mais delicadamente, no poema marial* Himmelfahrt Mariae.

No outro pólo da mediação, «as coisas susceptíveis de serem vividas», não contentes do seu «obrar sem figura», confiam-se-nos para se espiritualizarem, se eternizarem; «e essas coisas, que vivem do seu próprio declinar, compreendem que tu as celebras: perecedoras confiam-nos a nós a salvação, a nós os mais perecíveis; querem que as transformemos no invisível do nosso coração, em – oh, infinitamente! – em nós outros mesmos, sejamos afinal o que formos».

O homem como transfigurante ou sublimante (no sentido da Aufhebung *hegeliana), como transformador do visível em invisível e simultaneamente presença do espiritual ao terreno, como médium e hierofante, consciência e turíbulo rescendente do Universo, em suma como* sacra-dans *ou sacerdote deste mundo, do caos que exactamente pelo homem se faz cosmos!...*

Abelhas do Invisível «nous butinons éperdument le miel du visible, pour l'accumuler dans la grande ruche d'or de l'Invisible» — como ele escreve intencionalmente em francês!

E pensar Rilke que por este caminho, que é o da dinâmica bíblico-cristã, se estava a afastar do Cristianismo...

O caso, no que tem de pessoal, não obstante a extraordinária personalidade de Rilke, reveste-se apenas dum valor bastante relativo. A biografia do poeta e os seus próprios testemunhos mostram que a principal razão que o afastou do cristianismo de confissão foi a memória do catolicismo de sua mãe, catolicismo de convenção social e de aspiração a bem-estar em convivências aristocráticas, religião ademais cheia de infantilismo, pietismo e superstição (que as leituras posteriores do poeta no Flos Sanctorum *não contribuiriam para teologicamente esclarecer). A aversão ao catolicismo é em grande parte a descaroável aversão a sua mãe, a quem já aos dezanove anos qualifica de «pobre criatura ávida de prazeres» e de quem muitos mais tarde dirá que sente ainda e sempre de novo, «como já me sucedia quando menino, a necessidade de fugir desta mulher aloucada, irreal, sem a menor relação com o que quer que seja»; e acrescenta ainda muito expressamente que nessa mulher, que é sua mãe, acima de tudo, «me horroriza a sua distraída piedade, a sua fé arbitrária, mais ainda,* esta deformação e alienação em que se consome, vazia como um vestido pendurado, fantasmal e absurda».

Esta descaroável defesa da sua «soledade» contra todos, defesa que contra a própria mãe se traduz em horrível desumanidade, ressuma na sua criação poética, quer antiteticamente pela idealização da infância, da amante e da mãe como terra-natureza-seio-mãe, quer directamente contra a própria mãe e precisamente na dimensão religiosa, como esse poema de 1915 que começa: «– Ai de mim, minha mãe me estilhaça... não vê que eu me estava construindo» e termina com a recusa da mãe, como cristã (e portanto (!) do Cristianismo): «De ela a mim não soprou cálida brisa... ela jaz no alto desvão do coração e Cristo a lava cada dia»...

E no entanto esta razão pessoal do presumido anticristianismo de Rilke, por muito importante que seja, é bem pouco em comparação com as razões «essenciais» que «valem» não apenas para o autor das Elegias e dos Sonetos a Orfeu mas para o «poeta puro», para todos os que fazem da Poesia o seu Absoluto. É aí que está a aporia essencial, o ponto fulcral de todos os paradoxos: ser poeta, ser cultor da poesia, ser celebrante, mediador, sacerdote do Absoluto! Entusiasmo poético: ser para Deus, ser «em Deus», sem outro mediador!...

De aqui resulta a recusa de todo o outro mediador intermediário, do cultor do Mistério (ou dos mistérios), do Sacerdote. De aqui também, geralmente confessada como tormento e «maldição», a impossibilidade de comunicar, a recusa da comunhão – odi profanum vulgus et arceo...

Curioso que este paradoxo – função de mediador mas impossibilidade de comunhão – está muito próximo, se não é propriamente a mesma coisa em certos casos, da dialéctica religiosa de hoje, principalmente no mundo cristão desenvolvido: a tensão das múltiplas dimensões do mesmo Evangelho, que se traduz graficamente na dialéctica entre o vertical e o horizontal.

Sabe-se que, em Rilke, a sua poética missão de sacerdote--mediador o levou directa e praticamente à recusa do ministro de qualquer religião. Tendo na juventude comparado a recusa do mediador espiritual, o sacerdote, com a recusa do mediador corporal, o médico, acaba por se resignar ao segundo; mas tira daí reforço de argumento contra o primeiro: «É bem humilhante que nas misérias corporais da minha natureza eu tenha devido admitir o intermediário e o negociador na pessoa do médico; para o movimento da minha alma em direcção ao Aberto toda a mediação eclesiástica seria ofensiva e contrastante.» E assim na mesma altura, cerca de um ano antes da morte (e quando escrevia o célebre epitáfio em que celebrava a superação dos contrários vida-morte: — «Rosa, contradição pura»...) punha por escrito a solene determinação: — «Se eu viesse a cair numa doença que finalmente me perturbasse por igual o espírito, peço mais que isso, conjuro os meus amigos a ter afastada de mim toda a assistência dum padre que pudesse oferecer-se.» Sabe-se, depois desse epitáfio e desse conjuro, quão depressa se aproximou o fim, e como ele teve de «descer aos infernos» em vida («inferno» era então a palavra que infindamente lhe saía dos lábios e do bico da pena).

Quem pudera saber se não foi essa «descida aos infernos» a condição para superar a sua vital contradição, na rosa da união mística! E até, se os amigos, que aliás não teve nesse transe (com excepção duma só) violassem ou ultrapassassem o conjuro?!...

Mas, por mais interessante que seja o problema (problema

que transferido para o homem vulgar, com evidente degradação como problema, constituiu o Drama de João Barois, que muito impressionou por um tempo), mais interessante, grave e essencial é vê-lo não tanto biograficamente quanto tematicamente: a Poesia (e, com certas acomodações, a Filosofia ou a Ciência totalizante) na dialéctica entre verticalidade e horizontalidade, por outras palavras, entre soledade e comunhão, entre Deus e o Homem.

*

Podíamos seguir a evolução dessa problemática na biografia de Rilke: seria apenas retomar em consideração a tarefa vital do «poeta puro», como ele a viu e como ela tem sido vista. Em vez disso, aludamos tão-só à expressão dos mesmos problemas na moderna poesia portuguesa. Lembremos apenas que o maior poema do século passado se chama simplesmente Só e é o drama da infinita volúpia e do infindável horror da soledade, bem como do torturante vaivém da comunhão à não-comunhão com o outro, dos «males de Anto», como ex--comunhão, face à ultra-comunhão do «ah, meu amor, antes fosses ceguinha!».

O maior poeta português da primeira metade deste século, e nosso único poeta de projecção internacional depois de Camões, sabe-se que viveu na dispersão da personalidade própria, na sensação como que física de não ser uma pessoa (em contraste com o nome de família) e de se exprimir portanto numa legião de heterónimos, como actor ou «fingidor» – larvatus prodeo, como de si mesmo dizia o pai da filosofia moderna, Descartes.

Não é contudo a despersonalização, esta espécie de histrionismo metafísico que domina a Poesia e a Filosofia modernas, o que aqui directamente nos interessa, mas aquilo que parece ser consequência e fenómeno dessa impossibilidade de o indivíduo chegar a ver-se e viver-se como pessoa, como ser de relação anímica, polarizando porventura só e exclusivamente na referência vertical todas as tensões ou todas as evasões do próprio eu. E... novo horror!... exclama Fernando Pessoa:

«O horror metafísico de outrem! / O pavor de uma consciência alheia / Como um deus a espreitar-me»...

E não se sabe bem se esta não-comunhão, esta impenetrabilidade mineral provém dele mesmo ou do outro:

«...odiar esta vida / Que passo entre a impenetrabilidade física e psíquica / Da gente real com quem vivo.»

E parece mesmo não chegar a compreender se se trata de algo de físico, psíquico ou metafísico:

«...tenho do alto orgulho a timidez / E sinto horror a abrir o ser a alguém, / A confiar nalguém... / Seria violar meu ser profundo / Aproximar-me muito de outros homens.»

O que ele conhece, sim, o que ele sente bem, embora nem sempre assinale nitidamente a radical razão poético-metafísica dum tal efeito, é a sua impossibilidade de sair de si, de comungar, de amar: «— Não me concebo amando, nem dizendo / A alguém «eu te amo» — Sem que me conceba / Com uma outra alma que não é a minha.»

Invoca, a favor dessa verticalidade sem-Deus, que não é positivamente a do Evangelho: «...Senhor, / Dá-me eu ser só — veste de seda — / E fala-só — leque animado.»

A sua impenetrabilidade ao outro traduz-se, na poesia decerto mas igualmente na vida, pela impossibilidade do amor humano. *Invoca então, em vez de Deus, a «solidão» como «minha mulher» e pede-lhe o impossível: – «Consegue que eu não seja triste...»*

Ou ainda:

«Reza por mim! A mais não me enterneço. Só por mim mesmo sei enternecer-me...»

E finalmente a razão, razão psicológica sem dúvida, mas sobretudo metafísica e por consequência religiosa:

«Que pena sermos dois! / Meu amor, somos dois. / Vejo-te, somos dois...»

O outro, o horror do outro, l'enfer c'est les autres!

Fugir talvez do outro para Deus: não para o Deus único revelado em Cristo, mas para qualquer Deus, para a imanência, para «o inferno» do eu sem saída e sem esperança...

*

Teremos andado por muito longe de Sophia, do seu mundo poético, dos seus Contos Exemplares?...

Não o creio; antes por muito perto!...

Poderá parecer desmesura ter sugerido que há mais conteúdo cristão na eidética e noética de Sophia que nas de Cervantes ou Camões, que são mais exemplares os seus contos que as novelas daquele ou a nossa epopeia nacional; e no entanto quase o mesmo se podia afirmar de boa parte da literatura actual mesmo não-conformista, em contraste com a literatura conformista dos «séculos da fé».

O que já não será tão comum, e de muito poucos se poderia afirmar, é esta comunicabilidade essencial, esta superação da dialéctica entre a comunicação e a soledade poética, esta interioridade riquíssima feita comunhão humana e humaníssima, esta relação ao outro em todos os sentidos, esta integração da horizontalidade na verticalidade (sem jamais usar o santo nome de Deus em vão) que encontramos em Sophia. Parecerá desmesura afirmá-lo; mas impõe-se reconhecer que onde fracassaram os maiores, um Hölderlin, um Rilke, um Shelley ou um Pessoa, aí ganhou a visão poética de Sophia. Talvez para isso lhe bastasse o facto de ser cristã. Haverá porém de reconhecer-se que, assim como a um Tomás de Aquino foi preciso todo o pensamento filosófico do passado e o seu próprio génio de intuição e síntese para realizar simplesmente a metafísica natural do espírito humano ou a Filosofia do senso comum, assim ao poeta pode fazer falta o verdadeiro génio para trespassar o mistério da vida e, sondando as suas dimensões horizontais e verticais, reconhecer como Sophia — «Eu caminhei na noite» (como Sophia, sim, mas porque não dizer como Teresa de Ávila ou João da Cruz?) e assim se avizinhar, no que é possível ao homem, do Mistério inefável.

Afirmar-se católico, isto é, universal, inclui em certo sentido uma exigência geral de génio: a certo nível ôntico, e portanto na sua expressão noética ou poética, só com real talento e por vezes a golpes de génio se consegue ser cristão.

Cristã e mesmo quase litúrgica é a vivência poética de Sophia nos seus Contos (dizemos bem, poética, porquanto de prosa aqui não há mais que o aspecto gráfico, íamos a dizer tipográfico). A muitos agradaria decerto pôr em lição do ofício da Palavra, por exemplo aquele conto «O Homem», no qual através desse facto banal (!) presenciado numa rua central do Porto, «dum homem muito pobremente vestido que levava ao colo uma criança loira... a beleza de uma madrugada de Verão, a beleza de uma rosa, a beleza do orvalho, unidas à incrível beleza de uma inocência humana», homem cuja cara «escorria sofrimento, resignação, espanto e pergunta», nos aparece e se agiganta, no mistério da sua agonia, o Filho do Homem interrogando o céu: — Pai, Pai, porque me abandonaste?

E que melhor liturgia natalícia da Palavra se poderia desejar do que essa extraordinária parábola de «Os Três Reis do Oriente», exorcizando e arrastando na sua Peregrinação atrás da estrela os problemas, tragédias e mentiras da sociedade com o seu endeusamento e culto, na pessoa do rei Baltasar, os sofismas, aporias, angústias e ateísmos da ciência e da filosofia, na pessoa de Melchior, ou o culto do Bezerro de Oiro e do oiro do bezerro nesse esconjurado Gaspar que existia-em--solidão e «escutava o crescer do tempo» e, sobre o tempo debruçado, se fazia a genial pergunta: «Que pode crescer dentro do tempo senão a justiça?...»

Ao falar de Liturgia não significamos irrealidade ou evasão, mas pelo contrário o concreto da realidade e a fidelidade à terra (que aliás é o preciso carácter da liturgia católica). Não cremos na verdade que o encarecimento das nourritures terrestres dum Gide, o sentido palatal do divino dum Rilke ou o seu empenho de fidelidade à terra, nem qualquer das superlativas valorações da matéria e da vida que para aí se ouvem excedam o sentido telúrico de Sophia, a sua estética do aquático, do mar, do nevoeiro e do «cheiro nu da maresia», como igualmente a sua fusão sensorial no ar, no vento e nos longes do horizonte. O Búzio, esse «monumento manuelino» como o próprio mar (que «é barroco», como disse Reynaldo dos Santos), esse Búzio que ela via «crescer dos confins dos are-

ais e das estradas» como se fosse «uma árvore ou um penedo distante» e que trazia dentro de si como os outros búzios da praia todos os profundos rumores do Oceano, o Búzio falava ao mar com «palavras quase visíveis», palavras que «reuniam os restos dispersos da alegria da terra... vento, frescura das águas, oiro do sol, silêncio e brilho das estrelas»: eis o «Homero» de Sophia, como o da Hélade, voz e interlocutor do «mar polissonoro».

Em «Praia» não falta igualmente o mar, a maresia, o nevoeiro, a noite, «a voz do mar, espantosamente real, recriando-se incessantemente», a completar «o perfume apaixonado de algas que escorria das árvores», mas há também e sobretudo a telefonia, a notícia, a guerra: o «capitão da estupidez, da bestialidade e da desgraça conduzindo o seu povo», um povo não obstante admirável, enfim e em suma os homens, οἱ ανθρωποι *(como saborosamente escreve na língua de Homero). E sobretudo, no meio de tantos* ánthropoi, *«o homem do relógio», ali plantado «como uma árvore no Inverno», o homem de quem não se sabia, «de que tempo ele vinha» e que para ali estava tal qual se «tivesse rejeitado todo o destino, toda a vida vivida, como uma coisa alheia, exterior e falsa e lhe bastasse aquele momento». Essa figura temática de a «Praia» atira-nos logo, por contraste, para o tema da extraordinária parábola que é «A Viagem», como igualmente, por contraste ainda mais gráfico, nos podia levar às geniais intuições com que Nietzsche abre a Terceira Parte do* Also sprach Zarathustra, *isto é, depois de «O Viageiro» (Der Wanderer), o capítulo da visão e do enigma (Vom Gesicht und Rätsel). Ao centro do "Enigma" está a poterna do Castelo, na qual se topam os dois caminhos «que ninguém seguiu jamais até ao fim», o do passado e o do futuro; e o nome da poterna está escrito no frontispício: esse nome é o «Instante».*

Esta intuição de espanto para Nietzsche tem sido para os teólogos, para teólogos protestantes como Bultmann e católicos como Hasenhütl, o ponto de partida expressamente aceite para inscrever entre as duas eternidades o Instante da Salvação, a presença permanente da Ressureição e da Cruz na História. É certo que Zarathustra não encontrava para a aporia do tempo (o tempo, que não pode ser infinito, mas que não podemos pensar como finito), para o pastor que tinha a pesada serpente negra atravessada na garganta, senão a clássica solução do nó górdio: Beiss zu! Beiss zu! Den Kopf ab! Beiss zu! (Morde! Morde! Corta-lhe a cabeça! Morde!).

Sophia, porém, como aqueles teólogos, sabe que há saída para fora da «verdade curva» e do «tempo circular» nietzscheanos, e por isso a mulher, só e perdida ao fim de «A Viagem» sem retorno, pensou: — «Do outro lado do abismo está com certeza alguém. E começou a chamar.»

Em face destes problemas, e na ordem do livro antes deles, problemas metafísicos, como se diz, mas na verdade de ontologia religiosa, estão os problemas que começam por parecer mais caseiros de «Retrato de Mónica» e de «O jantar do Bispo». E no entanto, de caseiros têm, além da simplicidade perfeita do estilo de Sophia, apenas o parecer e a circunstância.

A espantosa água-forte de «Mónica» deveria mostrar a «tanto e tão belo exemplo de virtudes», à mulher que, «tendo renunciado à santidade, se dedica com grande dinamismo a obras de caridade», como e quanto pode estar a servir só e perfeitamente o Príncipe deste Mundo.

E esse mesmo Príncipe, agora na figura do Homem Importante, entra nas coisas de Deus, come e dialoga com o Bispo, fala e torna a falar na Igreja de Nossa Senhora da Esperança, que é preciso restaurar. E o Bispo vende o seu Padre, pela Igreja... Só isso!... O salto de génio com que Sophia transpõe a acção do aparentemente trivial para o sobrerrealismo do jogo transcendente entre o Pobre e o Dono da Casa, apoiado este pelo Homem Importante, mostra que, como nas telas do Greco, todo o natural tem a sua dimensão sobrenatural, e que mesmo não se pode falar bem do real sem a projecção para o sobrerreal. É esta em resumo, e aqui de forma mais evidente, a lição literária de Sophia: que a comunhão humana é possível com Deus, em boa literatura, que a comunicabilidade é mesmo essencial à visão poética, que a tensão vertical deve integrar-se na horizontal e vice-versa, que enfim só a verticalidade e horizontalidade unidas perfazem a Cruz da ressurreição.

Ao bispo amavelmente forçado a abrir estes Contos, só resta agradecer a Sophia a generosidade de, tendo mostrado o pobre Jerarca ilaqueado nos jogos humanos até vender o seu Padre «pelo telhado duma igreja», da igreja da Senhora da Esperança, o mostrar depois capaz de remorso, de resgate e redenção: que o Bispo volte a ser, mais que o construtor de igrejas, o construtor da Esperança. Até mesmo da Esperança de que a prática e a «fé» do nosso bom povo deixe de ter, no momento da tentação, a voz sobrerrealista da cozinheira Gertrudes: — «Nos tempos que correm, já não há Deus nem Diabo. Há só pobres e ricos. E salve-se quem puder...»

*

Aberto o Pórtico, finalmente! Se já o estava, em verda-

de... Que estes Contos Exemplares *de Sophia, como aliás toda a sua criação artística, sejam recebidos e compreendidos como aquilo que são: pórtico sobre o «Aberto», não apenas no sentido rilkeano, mas, para além desse, no sentido joânico da Luz que se abriu para todo o homem que vem a este mundo!* In lumine tuo, videmus lumen...

ANTÓNIO FERREIRA GOMES

O JANTAR DO BISPO

I

A casa era grande, branca e antiga. Em sua frente havia um pátio quadrado. À direita um laranjal onde noite e dia corria uma fonte. À esquerda era o jardim de buxo, húmido e sombrio, com suas camélias e seus bancos de azulejo.

A meio da fachada descia uma escada de granito coberta de musgo. Em frente dessa escada, do outro lado do pátio, ficava o grande portão que dava para a estrada.

A parte de trás de casa era virada ao poente e das suas janelas debruçadas sobre pomares e campos via-se o rio que atravessa a várzea verde e viam-se ao longe os montes azulados cujos cimos, em certas tardes, ficavam roxos.

Nas vertentes cavadas em socalco crescia a vinha. Era ali a terra pobre donde nasce o bom vinho. Quanto mais pobre é a terra, mais rico é o vinho. O vinho onde, como num poema, ficam guardados o sabor das flores e da terra, o gelo do Inverno, a doçura da Primavera e o fogo dos Estios. E dizia-se que o vinho daquelas encostas, como um bom poema, nunca envelhecia. À direita, entre a várzea e os montes, crescia a mata, a mata carregada de murmúrios e perfumes e que os Outonos tornavam doirada.

Mas agora era Inverno, um duro Inverno desolado e frio, e o vento desfazia o fumo azul que subia das pequenas casas pobres. Os caminhos estavam cobertos de lama. Um longo soluço parecia correr pelas estradas.

O Dono da Casa estava de pé, encostado à lareira acesa na sala grande, rodeado de convidados, que eram primos, primas e alguns vizinhos. Estava calado, alheio à conversa: meditava, pesava as suas razões, defendia em frente de si próprio a sua causa e a sua justiça. Faltava o último convidado, que era o Bispo.

O Dono da Casa tinha um pedido a fazer ao Bispo. Fora mesmo por isso que o convidara para jantar. E era por isso que, enquanto o esperava, ele meditava e preparava os argumentos da sua razão.

De facto, ali, naquelas terras de sossego, naqueles domínios submissos onde ele e seu pai e seus avós tinham exercido uma autoridade indiscutida, ali onde antes sempre reinara a ordem, tinha surgido agora uma semente de guerra.

Esta semente de guerra era o padre novo, um jovem padre de sotaina rota e cabelo ao vento, pároco de Varzim, pequena aldeia miserável onde moravam os cavadores da vinha. Havia muito tempo que Varzim era pobre e sempre cada vez mais pobre, e havia muito tempo que os párocos de Varzim aceitavam com paciência, sempre com mais paciência, a pobreza dos seus paroquianos. Mas este novo padre falava duma justiça que não era a justiça do Dono da Casa. E parecia ao Dono da Casa que, dia após dia, semana após semana, mês após mês, a sua presença ia crescendo como uma acusação que o acusava, como um dedo que apontava, como uma espada de fogo que o tocava. E ali na sua casa cujos donos tinham sido de geração em geração símbolo de honra, virtude, ordem e justiça, parecia-lhe agora que cada gesto do Padre de Varzim o chamava a julgamento para responder pelos tuberculosos cuspindo sangue, pelos velhos sem sustento, pelas crianças raquíticas, pelos loucos, os cegos e os coxos pedindo esmola nas estradas.

Finalmente surgira uma questão de contas com um caseiro e o Abade de Varzim tomara a defesa do caseiro.

– Padre – dissera o Dono da Casa –, eu pensava que o seu ofício era ocupar-se de rezas e não de contas. Os problemas morais pertencem-lhe. Os problemas práticos são comigo. Peço-lhe que deixe César ocupar-se do que é de César. Eu na sua igreja não mando: só assisto e apoio. O problema que estamos a discutir é meu, é do mundo, é um problema material e prático.

– Da nossa própria fome – respondeu o Padre de Varzim – podemos dizer que é um problema material e prático. A fome dos outros é um problema moral.

E a questão continuou. Crescia de dia para dia. O Dono da Casa estava velho e habituado a mandar e a possuir. As suas conveniências, as suas comodidades, as suas vantagens e os seus interesses pareciam-lhe direitos éticos absolutos, princípios sagrados da paz e da ordem. Por isso convidara o Bispo para jantar. Para lhe expor as suas razões e a sua justiça. Mas era-lhe difícil acusar o seu adversário. O Padre de Varzim vivia pobremente e castamente. Ninguém podia dizer que ele não era um bom padre. A sua piedade era visível e a fama da sua caridade corria de boca em boca pelos socalcos da serra. Ele sentava à mesa o tuberculoso com seus farrapos sujos de sangue e entrava no lar do leproso. Ele dava, dizia-se, tudo quanto tinha e recebia em sua casa os vagabundos. De dia para dia a sua cara esculpida pelo duro sacrifício quotidiano, o seu olhar atravessado pela visão do sofrimento, os seus ombros estreitos, a sua roupa desbotada por sóis e por chuvas, as suas botas rotas em todos os caminhos, como que se iam tornando a imagem da pobreza e da miséria de Varzim.

De certa forma, o Dono da Casa sentia-se vexado pela insignificância daquele adversário. Não estava habituado a lutar, estava só habituado a mandar. Outros por ele tinham lutado e vencido. Mas, uma vez que tinha que lutar ele próprio, gostaria ao menos de lutar com um homem forte e poderoso como ele. Adversário tão magro e desarmado fazia-lhe vergonha.

Primeiro interpretara a atitude do Abade de Varzim como sendo a expressão da revolta social dum filho de gente pobre.

Mas depois apurou que o padre era parente afastado duns seus parentes afastados e que a fome escrita na sua cara não era hereditária, mas sim voluntária. Ele rejeitara o seu lugar entre os ricos e tomara o seu lugar entre os pobres. Estas notícias não entusiasmavam o Dono da Casa.

Porque ele costumava dizer: «Todo o poder vem de Deus». E pensava que um padre devia por isso respeitar todo o poder estabelecido e respeitar o dinheiro e a importância social, expressões do poder. E considerava também inadmissível que um homem rejeitasse a herança dos seus para alinhar ao lado dos miseráveis. Um homem de boas famílias se vai para padre deve ser Bispo, Núncio ou até Papa. Mas pelo menos Monsenhor. Nunca pároco de aldeia numa serra.

A atitude do padre novo chocava-o como uma traição.

Acrescia a tudo isto que o Dono da Casa, bom gourmet, sábio em vinhos e *bon viveur*, detestava os ascetas que lhe pareciam gente louca, pretenciosa e perigosa, gente pouco humana e querendo sempre o que não é natural. Ora ele teve notícia de que os frangos, as nozes, as uvas e as peras que era seu costume mandar aos sucessivos abades de Varzim em datas regulares, agora, em vez de seguirem o seu destino, que era a mesa do abade, eram distribuídos pela negra fome de Varzim. Soube também que o padre dava as couves da sua horta e as uvas da sua parreira. Dava mesmo o leite da sua cabra. Dava tudo. Por isso andava também ele como um faminto, com a sotaina gasta e as botas vergonhosas.

Isto desafiava o uso, o costume. Já nem era virtude: era desordem, anormalidade, bolchevismo.

Mas o pior de tudo era a missa de domingo. Sempre o Dono da Casa ouvira distraído em Varzim os sermões de domingo. Eram sermões que falavam de paciência, resignação e esperança num mundo melhor. Sermões que não lhe diziam respeito. De certa forma, para ele nenhum mundo podia ser melhor, e desejava por isso ir para o Céu o mais tarde possível. De maneira que, enquanto os pregadores falavam, tudo o distraía. Distraía-o a pintura do tecto, distraía-o a criança que chorava. Daí passava para a lembrança do sulfato ou da vindima ou da venda do vinho. Pensava nos seus negócios.

Mas agora já não se podia distrair. Agora o padre novo falava da caridade. E a caridade de que ele falava não era a conhecida e pacífica praxe das comedidas esmolas regulamentares. Era um mandamento de Deus solene e rigoroso, uma palavra nua de Deus atravessando o espírito do homem.

Tudo isto perturbava e incomodava o Dono da Casa. À volta da missa almoçava mal. A teologia não era a sua especialidade e este mandamento novo da caridade parecia--lhe o resultado das ideias novas e perigosas da nossa época. Ele tinha uma fé firme e sem dúvidas, baseada não nos Evangelhos, que nunca lera, mas sim na sua boa educação e no seu respeito pelas coisas estabelecidas. Dava esmola aos pobres ao sábado e ia à missa ao domingo. Tinha um banco especial na igreja e nunca chegava atrasado. E mantinha em sua casa o hábito antigo de ter sempre na sua cozinha a mesa dos pobres. A qualquer hora do dia naquela mesa era servida uma refeição a qualquer mendigo que batesse à porta. É claro que para usufruir desta benesse era preciso que o mendigo fosse doutras terras ou que, sendo do sítio, fosse reconhecido como um verdadeiro pobre. Verdadeiros pobres, na terra, eram o Lúcio, que não tinha pernas, o Manuel, que não tinha braços, o Quintino que era cego, a Joana Surda que era viúva e centenária e a Maria Louca. Estes eram verdadeiros pobres: de todo em todo não podiam trabalhar. Mas o Pedro da Serra que tinha nove filhos e ganhava quinze mil réis por dia a cavar pedregulhos, esse não era um verdadeiro pobre pois tinha um salário e dois braços.

A mesa dos pobres era uma mesa especial. Por razões

de hierarquia e por razões de higiene: não se podia impor aos criados o contacto com a lama, a poeira, a sujidade, o mau cheiro e as doenças dos pobres. Assim, na ordenação daquele pequeno mundo do qual o Dono da Casa era a cabeça, os miseráveis também tinham o seu lugar que ficava um pouco abaixo dos criados, um pouco acima dos cães. Mas apesar de tudo era um bom lugar. Ao lado do pão e do vinho, em frente do prato da sopa, a cozinheira tinha ordem de pôr sempre uma moeda.

Desta forma se mantinham as tradições daquela casa. Daquela casa tão bela, com as suas linhas limpas, com os seus materiais nobres e pobres, com as paredes caiadas, os azulejos e a grande fachada clara e direita cuja beleza estava só no equilíbrio certo dos espaços e dos volumes e na nudez da cal e da pedra.

Mas dentro já qualquer coisa rompia a harmonia. Móveis pomposos, falsos e doirados, tinham sido acrescentados às antigas mobílias escuras. Um estranho novo-riquismo invadia devagar a antiga, simples e austera nobreza. Um excesso de tapetes escondia a doce madeira do chão. Cortinas complicadas injuriavam o brilho frio do azulejo e a casta cal das paredes.

E sobretudo – ai!, sobretudo – os retratos do Dono e da Dona da Casa, rosados e estilizados, sentados num cadeirão torcido, ao lado dum jarrão da China, contrastavam amargamente com os retratos secos e sombrios dos antepassados. Mas o Dono da Casa não dava por este contraste e gostava de se ver, rosado como um fiambre e com as mãos afiladas até à maravilha, ao lado dos seus avós. Ali estavam quase todos: Aquele que fora ferido em cinco batalhas, aquele que navegara até ao fim do mundo e morrera de escorbuto, o que naufragara no Índico, o que fora denunciado e torturado, o que morrera preso, o que morrera no exílio. Ali estavam quase todos: aquele que perdera um olho em Ceuta, aquele que perdera um braço em Diu, aquele que perdera a cabeça degolado pelos Filipes. Ali estavam quase todos em seus sombrios retratos, ao lado do Dono da Casa que nunca perdera nada.

E quando o Dono da Casa passava com as visitas em frente dos retratos explicava:

– É costume na minha família cada nova geração deixar aqui o seu retrato. Por isso já aqui está o meu. Gosto de continuar as tradições.

Estas exibições dos retratos divertiam profundamente um parente afastado do Dono da Casa que toda a gente na família tratava por primo Pedro.

Este primo Pedro era o mais legítimo representante da nobreza da província e o mais arruinado. Seu avô, seu pai e ele próprio tinham vendido lentamente casas, campos e quintas ao avô e ao pai do Dono da Casa. E também os quadros ali expostos tinham mudado de proprietário juntamente com as casas e com as quintas. Os quadros, porém, além de mudarem de proprietário, tinham mudado também de descendência.

Mas o primo Pedro não precisava de retratos: ele próprio com seu ar austero e seco era igual a um retrato. Formava nisto grande contraste com o Dono da Casa, que era moreno, encorpado e corado, com grossas mãos e dedos ávidos e curtos.

A ruína dos homens como o primo Pedro, seu pai e

seu avô parece sempre um pouco inexplicável. Eles não desperdiçam só os seus bens mas também os seus dons. As suas qualidades não encontram forma de realização. É como se a relação entre eles e a vida estivesse quebrada. Em que tinham ocupado os seus dias, o seu espírito, a sua coragem? Que renúncia os conduzia? Que desencontro os dominava?

O primo Pedro tinha a sensibilidade certa como a sensibilidade dum artista, tinha a inteligência dum inventor e o espírito de justiça dum revolucionário. Mas em toda a sua vida nada fizera. Seria por culpa dele ou seria por culpa do círculo que o rodeava? Seria porque a imagem do Dono da Casa, as imagens dos numerosos donos das casas, o faziam recuar com náusea em frente de todas as vitórias? Ou seria ele um espírito tecido de desilusão, descrença e ironia? Ou seria que a sua rejeição significava uma vontade de despojamento, uma renúncia quase metafísica?

O Dono da Casa não se preocupava com estes problemas, que aliás não lhe diziam respeito: para ele, aqueles seus parentes eram apenas falhados decorativos, simpáticos e bem educados. Tinha muito maior consideração por si próprio e pelos seus, gente capaz de conservar e aumentar a sua fortuna e a sua posição.

De facto o avô do Dono da Casa casara com a filha dum negreiro e o seu pai com a filha dum agiota. Daí viera um grande acréscimo da riqueza da família, riqueza que agora permitia ao Dono da Casa manter estreitas relações com financeiros dominantes e fazer parte de vários conselhos de administração. Enquanto isto se passava, o avô do primo Pedro tinha casado, escandalizando a província, com uma actriz da época romântica e o seu pai casara com uma parente tão arruinada como ele. Quanto ao primo Pedro, nem tinha casado. Alto e magro, caminhava sozinho entre paisagens e penumbras.

Mas apesar de tudo isto o Dono da Casa fazia grande gosto nesse parentesco que provava a sua boa genealogia. Ter o primo Pedro a jantar dava-lhe sempre a sensação de ter um dos personagens da galeria dos retratos sentado à sua mesa.

Porém hoje não o convidara. Pois o primo Pedro tinha opiniões subversivas: defendia a democracia, a liberdade de imprensa, o direito à greve e costumava citar o catecismo dizendo que não pagar o justo salário a quem trabalha é um pecado que brada aos céus. Isto levava o Dono da Casa a suspeitar que ele fosse comunista. E também o levava a compreender que não convinha convidá-lo para o jantar do Bispo: de facto era evidente que o primo Pedro tomaria a defesa do Padre de Varzim.

Ora o Dono da Casa, com o seu sentido prático, tão perfeito que era quase sinistro, combinara aquela reunião com toda a prudência: só tinha convidado gente discreta e segura, com cujo apoio, concordância e silêncio podia contar inteiramente.

Agora já passava das oito horas: a chuva batia musical nos vidros, mas dentro da sala reinavam a luz e o calor.

E de pé entre os seus convidados inócuos, alheio às conversas, encostado à pedra da lareira, onde ardia devagar a cepa torcida da vinha, o Dono da Casa pensava na finalidade daquele jantar: pedir ao Bispo que mudasse o Padre de Varzim para outra freguesia. Calculava as palavras e media as razões. Não queria que o seu pedido parecesse mesquinho ou vingativo.

Queria explicar claramente que o padre novo era um perigo para a ordem social, aquela ordem que ele, dono dos campos, dos pomares, dos pinhais e das vinhas, no centro do jardim bem podado, bem plantado e bem varrido, no centro da casa antiga bem tratada, bem caiada e bem encerada, no centro das pratas herdadas e das pratas compradas, no centro dos móveis velhos e dos tapetes novos, representava.

Mas – apesar de tão poderosas razões – o pedido era difícil de fazer.

Entretanto, no seu carro, o Bispo vinha a caminho. Os faróis iluminavam serras, bermas, matas, casebres e, de longe a longe, portões de quintas.

No céu encoberto por grossas nuvens de chuva não se via uma única estrela. Era uma noite totalmente escura. Na lama da estrada o carro às vezes derrapava.

O vento desordenado sacudia os ramos das árvores e os pensamentos cruzavam-se na cabeça do Bispo.

Pedir é uma coisa difícil. E tanto mais difícil quanto mais aquele a quem se pede é rico e poderoso. Mas a quem havia ele de pedir senão aos ricos e poderosos?

De facto, o Bispo tinha um pedido a fazer ao Dono da Casa. Fora mesmo por isso que aceitara aquele convite.

O tecto da mais bela igreja da sua diocese tombava em ruínas. Era uma igreja do séc. XVII, célebre em toda a província, e que fora mandada construir justamente por um antepassado do Dono da Casa. Pois nos tempos antigos, quando um homem poderoso se achava doente ou tinha a consciência pesada, fazia a promessa de mandar construir uma igreja para dar paz ao corpo e à alma. Mas agora há remédios para todas as doenças e argumentos para todas as consciências. Agora os «ricos homens» já não mandam erguer igrejas em honra de Nossa Senhora da Esperança. Agora a doença já não é igual para pobres e ricos. Agora com regime, análises, radiografias, clínicas, curas de sono e vitaminas, um homem rico tem a saúde quase assegurada. E agora as certezas burguesas varreram a inquietação e tornaram inútil a esperança.

Por isso o Bispo organizara em vão uma lista entre as personalidades eminentes da cidade. A piedade dos fiéis não chegava ao tecto. O produto do peditório mal dera para restaurar o altar-mor. E a Igreja da Esperança continuava em ruínas.

Fora assim que o Bispo se resolvera a dirigir-se ao Dono da Casa para lhe pedir os cem contos que faltavam para arranjar o tecto. Mas era duro para ele ter de pedir tanto dinheiro. É verdade que o Dono da Casa era um homem virtuoso. Mas quem pode confiar na generosidade dum homem virtuoso? Os homens virtuosos são sensatos e prudentes, e a generosidade, sendo a virtude daqueles que dão aquilo que lhes faz falta, é em si mesma uma coisa insensata, contrária aos hábitos dos homens prudentes. Generosos são só os loucos ou os santos. Por isso o Bispo, enquanto a noite corria a seu lado, abanou lentamente a cabeça duvidando da eficácia do seu pedido.

Lembrou-se porém que o Dono da Casa, sendo, como

os antigos fariseus, um homem oficialmente virtuoso, deveria também ser um homem vaidoso. Pois a sua longa experiência lhe ensinara que os homens virtuosos são geralmente vaidosos em extremo. Cultivam com cuidado a sua boa fama, que querem esplêndida e conhecida. E sem dúvida o Dono da Casa, tão cioso das tradições da sua família, não seria indiferente ao facto da Igreja da Esperança – agora em ruínas – ter sido três séculos atrás construída por um antepassado seu. Talvez a vaidade do Dono da Casa valesse ao tecto da igreja.

O Bispo estava velho e cansado do mundo. E enquanto os faróis iluminavam ao longo das curvas da serra pensou:

– É triste estar a confiar na vaidade dos homens. E apeteceu-lhe de repente não fazer o pedido.

Mas o Diabo que espreita a ocasião resolveu intervir.

Daí a instantes o Bispo chegava à casa. O automóvel atravessou o portão e os faróis iluminaram de frente a bela escada de granito. O carro deu meia volta e a luz dos faróis correu ao longo da fachada branca, esculpindo o desenho das janelas.

E mais uma vez o coração do Bispo se comoveu em frente da beleza pura e antiga das paredes e das pedras.

Chovia. Um criado desceu com um guarda-chuva. O Bispo apeou-se e, lentamente, pesadamente, apoiada as mãos no corrimão de granito coberto de musgo, subiu a escada e penetrou no interior quente e iluminado.

O Dono e a Dona da Casa já o esperavam na grande entrada vazia, onde os azulejos azuis contavam, com muitos detalhes realistas, histórias de idílicas caçadas irreais, com caçadores e veados, arvoredos e aves. Depois da saudação da praxe, dirigiram-se os três para a sala. Interromperam-se as conversas e levantaram-se os convidados para virem falar ao Bispo.

Mas mal terminaram os cumprimentos, ouviu-se um grande estrondo lá fora.

Houve então um pequeno momento de confusão. Correram pessoas para as janelas e viram no pátio iluminado um grande automóvel preto e sumptuoso esbarrado contra o pilar esquerdo do portão.

Isto causou grande sensação. Houve exclamações e perguntas. Todos eram de opinião de que o carro devia ter derrapado na lama e todos diziam:

– É preciso ver se há alguém ferido.

Mas abriu-se a porta da frente do carro e por ela saiu um chauffeur que abriu a porta de trás.

E pela porta de trás saiu um homem alto e direito, com um sobretudo escuro, chapéu de abas reviradas e cara de pessoa importante.

Chovia cada vez mais, mas o homem, sem pressa e sem demora, olhou em sua frente e atravessou o pátio pausadamente, como se a chuva não o molhasse.

Mas já o criado do guarda-chuva descia a escada a correr e já o Dono da Casa se precipitava para a entrada.

E o seu braço, mal o vulto do desconhecido se desenhou no lumiar da porta, fez um largo gesto de acolhimento.

O desconhecido disse o seu nome. Um nome que foi ouvido com prazer. Era o nome dum homem importantíssimo.

– O meu carro derrapou na estrada – disse o Homem Importantíssimo – e esbarrou contra o seu portão.

O Dono da Casa deu imediatamente ordens para remediar o desastre. Mandou entrar o carro para dentro do pátio e mandou que telefonassem para uma garagem da cidade próxima para que viesse de lá um mecânico para reparar a avaria. Mas a cidade ficava a mais de meia hora de distância. E por isso o Homem Importantíssimo foi convidado para jantar.

O novo convidado agradou logo a toda a gente. Era um homem moreno, alto, mais depressa magro do que gordo. Tinha a idade indefinível dos homens de negócios que estão no auge da sua carreira. Não era velho, mas parecia nunca ter sido novo.

– É muito simpático – murmurou a prima Ana à prima Mariana.

– Muito – respondeu a prima Mariana.

Só o filho do Dono da Casa não gostava do novo convidado. Ele reparara que a sombra daquele homem era enorme e enchia os tectos, gesticulando como um grande polvo. Mas isso era uma coisa que só a criança vira.

E, quando o Homem Importantíssimo lhe perguntou como se chamava, ele respondeu sério:

– Chamo-me João.

E depois perguntou:

– Por que é que a sua sombra é tão grande?

O convidado não respondeu à pergunta da criança. Riu e perguntou:

– Quantos anos tens?

– Nove.

– Ainda és muito novo.

João tornou a olhar no tecto a sombra desmedida. Depois encarou de novo o homem e disse:

– Não gosto de si.

O convidado riu mais uma vez e tornou:

– Ainda és muito novo. Quando cresceres talvez sejas meu amigo.

A presença do Homem Importantíssimo deu ao jantar uma grande animação. Ele era o centro das atenções e da conversa e as suas opiniões sensatas produziam o melhor efeito. E quando, já no fim do jantar, a conversa se concentrou nos problemas deste tempo, todos o ouviram suspensos.

– Este tempo – disse o Homem Importante – é um tempo de crise: estamos dominados pelo materialismo. Até nos campos, onde só devia reinar a espiritualidade, ouvimos constantemente falar de problemas materiais. Shakespeare, Camões, Dante falaram dos problemas da alma humana. Hoje os poetas discutem os salários dos operários e o nível de vida dos países. Ora o homem não é só matéria: é espírito também. Mas o nosso tempo só vê os problemas materiais. É um tempo de revolta. Os homens não querem aceitar. Paciência e resignação são palavras que perderam o sentido. O homem deste tempo quer que o reino de Deus seja deste mundo. É o pecado da revolta. Ora é grave que este espírito esteja presente na arte, na literatura, na ciência, na filosofia e nos jornais. Mas o mais grave de tudo, aquilo que verdadeiramente é motivo de escândalo, é vermos que o espírito de materialismo e de revolta se infiltra não só entre os católicos, mas até entre os próprios padres.

– A Igreja – atalhou o Bispo – não pode desinteressar-se do problema social.

– De acordo, de acordo – continuou o Homem Importante. – Eu conheço bem a doutrina da Igreja. A Igreja está no mundo e não pode desinteressar-se do mundo. Mas a missão da Igreja é transcendente: compete-lhe guiar o homem para o seu destino eterno. «Dai a César o que é de César e dai a Deus o que é de Deus» – estas foram as palavras de Cristo num país ocupado. Não compete à Igreja empenhar-se na solução dos problemas materiais, solução aliás sempre imperfeita, transitória e duvidosa.

– O mandamento da caridade é muito claro – disse o Bispo.

– Mas pode ser interpretado de muitas maneiras – continuou o Homem Importante. – E creio que muitos hoje em dia o interpretam mal: a caridade que conhecem é só material. Dir-se-ia que o homem vive só de pão. Veja o que se passou com os padres operários. Mas, mesmo sem irmos tão longe, já vemos entre nós cristãos e até padres que falam como comunistas.

– Isso é verdade! – atalhou o Dono da Casa, que se lembrava do Abade de Varzim e exultava com o rumo que a conversa ia seguindo.

Mas já o Homem Importante continuava o seu discurso:

– Este tempo só põe a sua esperança na solução dos problemas materiais. Triste esperança. Vi hoje um espectáculo que me encheu de melancolia. Um espectáculo simbólico. Passei perto duma igreja, que se chama Igreja de Nossa Senhora da Esperança. É uma bela obra do séc. XVII. Mas está em ruínas. Os católicos de agora discutem os problemas da habitação mas deixam cair em ruínas a casa de Deus. Isto, Senhor Bispo, vi eu hoje na sua diocese.

O Bispo corou como um culpado e respondeu:

– É verdade, é verdade. A Igreja da Esperança está em ruínas. Acredite que é uma das minhas grandes preocupações. Preciso de arranjar um remédio. Mas para isso terei de contar com a ajuda daqueles que realmente me podem ajudar.

– De facto, de facto – disse o Homem Importante. – Devemos a todo o custo conservar a herança do passado. A desordem reina no Mundo. Mas aqui, no nosso país, a ordem consegue ainda vencer a desordem.

– Isso é verdade! – disse a prima Conceição.

A prima Conceição estava sentada ao lado do Homem Importante.

Estava maravilhada. O seu coração acolhia com entusiasmo cada palavra que ele dizia. Ela tinha sessenta anos, era viúva e a maior proprietária da região. A sua piedade tinha um carácter combativo, mas o seu verdadeiro Evangelho era o *Diário de Notícias*. Não tinha filhos e era a organizadora oficial das festas de caridade. O seu nome vinha à cabeça das listas de todas as comissões de beneficência. E era a presidente da obra dos tricots. Uma vez por semana as benfeitoras dessa obra reuniam-se em casa da prima Conceição, e, enquanto falavam do próximo e faziam tricots para os pobres, a tarde corria-lhes leve, apenas interrompida por um chá tão abundante que teria chegado para alimentar durante uma semana os nove filhos esfaimados do Pedro da Serra.

A prima Conceição começou a explicar ao Homem Importante o que era a obra transcendente dos tricots. O Homem Importante aprovava. A conversa era amena.

O Dono da Casa sentia-se feliz. O discurso do novo convidado viera ao seu encontro.

As palavras que ele dissera eram exactamente as palavras que ele precisava de ouvir naquele momento; agora já não sentia hesitações, nem dúvidas, nem escrúpulos. Agora a sua decisão estava tomada: pediria ao Bispo no fim do jantar que mudasse para outra freguesia o Abade de Varzim.

E, contente, com a alma em paz, com a mente liberta de incertezas, ele olhou feliz em sua roda.

A cepa da vinha ardia no fogão, a luz eléctrica presa às molduras iluminava as perdizes, as uvas e os limões das naturezas mortas, as velas brilhavam na mesa e a penumbra enrolava-se nos cantos altos do tecto. O Dono da Casa gostava de estar à mesa com visitas. Nada lhe agradava mais do que dar de comer a quem não tem fome. Sentia-se reinar sobre as loiças e sobre os convidados. E nunca se sentira tão feliz como naquele dia. Sólido era o peso dos talheres de prata. Sólido era o seu reino. O Abade de Varzim era uma pobre sombra, um fantasma perdido entre pedintes e fragas, irreal e abstracto como uma ideia que não é deste mundo.

O jantar estava a chegar ao fim. A conversa agora era geral e subira meio tom. Os criados davam muitas voltas à mesa.

Um pouco entontecido com a rapidez das palavras, o Bispo olhou a penumbra do tecto. Depois, baixou o olhar e viu em sua frente o pão e o vinho pousados sobre a mesa.

A seguir ao jantar, o Dono da Casa conduziu o Bispo e o Homem Importante para uma pequena sala, onde se sentaram os três e tomaram café.

O Homem Importante falou novamente na Igreja de Nossa Senhora da Esperança. O Bispo contou que a igreja tinha sido construída por um antepassado do Dono da Casa e expôs o problema do tecto. O Homem Importante ofereceu imediatamente cinquenta contos, e o Dono da Casa ofereceu os outros cinquenta contos. Depois o Dono da Casa expôs ao Bispo o problema do Padre de Varzim. O Homem Importante apoiou as razões do Dono da Casa. O Bispo concordou que a atitude do padre novo na questão do caseiro fora uma atitude imprudente. O Dono da Casa continuou a acusação e o Homem Importante continuou a argumentação. O Bispo prometeu que mudaria o pároco da aldeia para outro lugar.

O Dono da Casa entregou um cheque e o Homem Importante entregou outro cheque.

O Abade de Varzim tinha sido vendido por um tecto.

Ninguém falou em troca nem em venda. Ninguém disse palavras chocantes. Mas quando se levantaram os três e se dirigiram para junto dos outros convidados para a sala grande, o espírito do Bispo estava pesado de confusão. Ele era como um homem que, envolvido num negócio que não entende bem e convencido por um hábil advogado, compra o que não quer comprar e vende o que não quer vender.

E Deus no Céu teve dó daquele Bispo porque ele estava só e perdido e não sabia lutar contra os hábeis discursos dos donos do Mundo.

II

Um relógio na parede bateu dez horas e um pobre bateu duas pancadas na porta da cozinha.

Foi a cozinheira Gertrudes quem abriu. Olhou o homem sem entusiasmo. Não o conhecia, mas nem era preciso perguntar-lhe quem era: era mais um pobre.

A cozinheira teve vontade de lhe dizer que ele vinha tarde demais. O jantar dera-lhe muito trabalho e ainda lhe faltava lavar a loiça e arrumar a cozinha. Mas ela tinha ordem de dar de comer a qualquer pobre que batesse à porta enquanto houvesse luz acesa na casa.

Por isso disse:

– Entre.

E acrescentou:

– Não suje o chão.

Pedido impossível de satisfazer. Os trapos encharcados do mendigo escorriam água. Poisados no chão de tijoleira, os seus pés descalços estavam molhados e cobertos de lama.

– Boa noite – disse o homem.

– Boa noite – respondeu Joana, a criada velha.

Joana estava sentada junto ao lume. Tinha um xaile preto pelas costas e os seus olhos eram dum azul sem cor, como se o tempo os tivesse desbotado.

Gertrudes não respondeu às boas-noites. Olhava ostensivamente a água que escorria dos farrapos do mendigo.

– Venha secar-se aqui ao pé do lume – disse Joana.

Irada, Gertrudes virou-se para a criada velha.

– Você não vê que ele me vai sujar a cozinha toda, que me vai encher o chão todo com pegadas de lama?

Depois voltou-se para o homem, apontou com o dedo o banco que estava em frente da mesa de pedra dos pobres e disse:

– O seu lugar é ali.

O homem dirigiu-se para o lugar que a cozinheira indicara. Cada um dos seus passos ia ficando desenhado no tijolo do chão.

Gertrudes poisou um olhar cauteloso nos talheres e nas travessas de prata que estavam amontoados na banca de pedra rosada. Depois, vendo que entre o mendigo e as pratas havia uma distância suficiente, disse:

– Sente-se.

O homem sentou-se e ela acrescentou:

– Vou aquecer-lhe a sopa.

Pegou num grosso panelão que estava posto de lado e colocou-o em cima do lume do fogão.

Em seguida cortou um pedaço de pão, encheu um copo com vinho e poisou o pão e o vinho defronte do homem.

Então ele disse:

– Preciso de falar com o Dono da Casa.

– A esmola é ao sábado – respondeu Gertrudes.

– Mas eu preciso de falar hoje com o Dono da Casa – tornou o homem.

— Hoje não é sábado. E além de não ser sábado é tarde. E além de ser tarde temos visitas. Hoje temos cá o Bispo e além do Bispo temos um senhor ainda mais importante do que o Bispo.

— Mas eu preciso de falar esta noite com o Dono da Casa. É importante.

— As coisas importantes são para as pessoas importantes — respondeu Gertrudes. — Tenha juízo, homem. Você quer que o Dono da Casa venha aqui, agora, falar consigo? Nem pense nisso!

Lá fora a tempestade parecia aumentar.

A porta que dava para o corredor abriu-se e entraram o criado e a criada de sala. O criado trazia uma bandeja com xícaras de café, a criada uma bandeja com copos.

— Boa noite — disse o homem.

— Boa noite — responderam eles.

Poisaram as bandejas e a cozinheira começou logo a lavar os copos.

— Bem — disse o criado, olhando o pobre —, temos muitas visitas hoje. Visitas na sala e visitas na cozinha.

O homem pôs-se em pé, avançou um passo para o criado e disse:

— Oiça...

— Não saia de onde está — atalhou a cozinheira. — Olhe que me suja a cozinha toda.

O homem ficou onde estava. Mas, voltado para o criado, continuou:

— Oiça se faz favor, oiça! Preciso de falar com o Dono da Casa. Vá à sala e peça-lhe que venha aqui.

— Eu já lhe disse — explicou Gertrudes ao criado — que

hoje não é sábado e que temos visitas. Mas ele não compreende uma coisa tão simples.

– Homem – disse o criado, aproximando-se do pobre –, você já viu um senhor deixar as visitas na sala para vir à cozinha falar com um mendigo? Tenha paciência, não pode ser. O mundo é como é. Temos que ter paciência.

O homem voltou-se para a criada de sala e pediu:

– Oiça, peço-lhe a si: vá lá acima e diga ao Dono da Casa que preciso de falar com ele hoje mesmo.

– Tenho ordem de nunca ir dar recados à sala quando há visitas. Cada coisa tem o seu lugar.

Ao longe começava a trovejar.

Gertrudes tirou um prato do armário, mergulhou a concha no panelão, deitou a sopa no prato.

Depois aproximou-se da mesa dos pobres, poisou o prato e disse ao homem:

– Sente-se e coma.

O homem sentou-se com ar de cansaço, mas não começou a comer.

A porta do corredor tornou a abrir-se e entrou uma das criadas de quartos.

Vinha mal-humorada.

O homem disse:

– Boa noite.

Ela respondeu por cima dos ombros e perguntou à criada de mesa:

– Onde pôs você as chaves do armário da roupa?

– Ficaram no quarto de engomar – respondeu a outra criada.

A criada de quartos suspirou, sentou-se num banco e resmungou:

— A esta hora ainda me aparecem trabalhos.

— Então que há? – perguntou a cozinheira.

— Há que convidaram o hóspede novo, o Senhor Importantíssimo, para dormir cá. E a esta hora da noite ainda tenho de ir arranjar o quarto e fazer a cama.

— Deve realmente ser uma pessoa importante – comentou Gertrudes.

— Isso vê-se que é – disse a criada de mesa. – Quando fala parece dono de tudo.

— Oiça, se faz favor – disse o pobre, levantando-se e avançando um passo em direcção à criada de quartos.

Mas a cozinheira interrompeu-o outra vez.

— Fique onde está, não me suje mais a cozinha.

Depois voltou-se para a criada de quartos e tornou a explicar:

— Quer falar, hoje, agora, com o Dono da Casa. Já lhe expliquei que é impossível, mas não entende.

— Oiça! – disse o homem, virado para a criada de quartos. – Oiça o favor que lhe peço: vá você chamar o Dono da Casa.

— Sou criada dos quartos, não tenho ordem de ir à sala dar recados. Isso não é comigo.

A trovoada agora parecia estar perto. Um relâmpago azulou os vidros e o trovão ouviu-se para o lado da serra. Todos se benzeram.

— Ai dos pobres! – disse no seu lugar a velha Joana. – Há sempre uma razão para lhes dizerem que não. Os pobres têm fome e frio mas sobretudo estão sós. Se eu fosse nova ia lá acima pedir por ti. Mas estou velha e já não posso subir a escada.

— Se você lá fosse ninguém fazia caso — disse duramente Gertrudes.

E voltada para o homem continuou:

— Escusa de pedir mais. Já viu que ninguém o atende.

Um novo relâmpago mostrou lá fora o jardim lívido e transfigurado e logo um trovão se ouviu, estremecendo a casa desde os seus fundamentos.

A luz eléctrica apagou-se. Os criados benzeram-se na escuridão onde apenas brilhavam as brasas do lume.

Rapidamente Gertrudes riscou um fósforo e acendeu duas velas.

— Dê-me uma — disse o criado —, tenho de ir lá acima depressa acender os castiçais.

A cozinheira deu-lhe uma das velas e o criado saiu seguido pela criada de sala e pela criada de quartos.

Gertrudes tirou dum armário um castiçal pequeno onde espetou a vela. Depois colocou o castiçal em cima da grande mesa que estava no meio da cozinha.

A chuva batia desesperadamente nas vidraças. A trovoada era cada vez mais forte. A paisagem azul e fulminada surgia nas janelas e logo desaparecia bebida pela treva. O rolar dos trovões acordava a imensidão.

— Valha-nos Santa Bárbara! — disse a velha Joana. — Temos a trovoada em cima de nós.

Gertrudes abriu uma gaveta.

— Que quer você? — perguntou a velha.

— Vou queimar alecrim. Dizem que é bom — respondeu a cozinheira.

E tirou da gaveta um ramo seco que atirou para o lume.

Mas de novo o clarão do relâmpago atravessou os vidros e de novo o trovão fez estremecer a casa.

— Vamos rezar a Magnífica — disse Joana.

— Reze você, que eu não sei: já não são coisas do meu tempo — respondeu Gertrudes.

Então através do bater da chuva e do rolar da tempestade ergueu-se do fundo da cozinha, velha, cansada e trémula a voz da Joana:

A minha alma engrandece ao Senhor.

O meu espírito alegra-se em extremo em Deus meu Salvador.

Pois Ele pôs os olhos na baixeza da sua escrava e de hoje em diante todas a gerações me chamarão bem-aventurada.

Porque me fez grandes coisas o que é poderoso; e santo é o Seu Nome;

E a sua misericórdia se estende de geração em geração sobre os que O temem.

De súbito a Joana calou-se.

— Acabou? — perguntou Gertrudes.

— Não, não acabou; mas estou velha, esqueci o resto.

Porém, do outro canto da cozinha, a voz do homem sentado à mesa dos pobres ergueu-se e continuou:

Ele manifestou o poder do seu braço e dissipou os que no fundo do seu coração formavam altivos pensamentos.

Depôs do trono os poderosos e elevou os humildes.

Encheu de bens os que tinham fome e despediu vazios os que eram ricos.

João, o filho do Dono da Casa, estava no corredor quando a luz se apagou. Tinha acabado de dar as boas-noites a todos na sala e ia para o seu quarto.

Ficou sozinho na escuridão cortada de relâmpagos. Encostado à parede via lá fora surgir da treva um jardim azulado, desconhecido e fantástico. A beleza, o abismo e o clamor da tempestade tinham-no suspenso. Escutou imóvel durante algum tempo. Depois começou a ter medo. Sentiu-se só no meio da tempestade. Quis correr para a sala mas lembrou-se da sombra enorme do hóspede. Então o seu medo cresceu. Não ousava ir, em plena escuridão, ao encontro do convidado desconhecido. Encostou-se mais à parede e gritou. No fundo do corredor apareceu uma luz.

Era o criado António com as velas e as duas criadas. João correu para eles e seguiu-os.

Os criados entraram para a copa que ficava ao lado da sala de jantar.

António acendeu dois grandes castiçais e disse:

— Não me lembro de uma trovoada como esta.

— E eu nem me lembro de um pobre pedinte a querer que o Dono da Casa o venha ver à cozinha — disse a criada de sala.

— O que é que foi? — perguntou João.

– É um pobre que está na cozinha e quer que chamem o seu pai para falar com ele.

– E por que é que não o chamaram?

– Porque tudo tem o seu lugar e a sua ocasião.

– Como é que ele é?

– É como os outros pobres, é como a gente de Varzim.

– Dá-me uma vela – disse João –, eu quero ir vê-lo.

A criada deu-lhe um castiçal com uma vela e João saiu.

Quando abriu a porta da cozinha, viu, sentado à mesa dos pobres, um homem de rosto jovem e cansado. Era igual à gente de Varzim, tal como dissera Júlia, a criada de sala. Pareceu a João que o conhecia há muito tempo.

Erguendo a vela, caminhou para o homem e, quando chegou junto dele, disse baixo e devagar:

– Boa noite.

– Boa noite – respondeu o homem.

Houve um momento de silêncio. A trovoada parecia ter-se afastado e acabara de chover.

– Acabou a trovoada – disse a criança.

– Acabou.

– És tu o homem que mandou chamar o meu pai?

– Sou eu.

– Queres ver o meu pai?

– Quero que o teu pai me veja.

– Como é que te chamas?

– Diz ao teu pai que venho da parte do Padre de Varzim.

De novo João olhou o homem em silêncio. Ergueu um pouco a vela para o ver melhor. Disse:

– Vou chamar o meu pai.

Quando o João chegou ao alto da escada a luz eléctrica acendeu-se de repente. O rapazinho soprou a vela, pousou o castiçal numa mesa e dirigiu-se para a sala.

Entrou e ergueu os olhos: a sombra do Senhor Importante continuava a trepar pelas paredes e a ocupar todo o tecto. Dir-se-ia que ela dominava inteiramente aquela reunião de pessoas.

E ao canto do fogão, gozando o doce calor da cepa da vinha, o dono da sombra desmedida conversava com o Bispo e com o Dono da Casa.

– Pai – disse João –, na cozinha está um pobre que quer falar consigo.

– Agora, não. Diz-lhe que venha no sábado.

– Mas tem que ser hoje. É muito importante.

– Por que é que é importante?

João não sabia responder.

– Por que não o vai ver? – perguntou o Bispo ao Dono da Casa. – Um pobre vem sempre da parte de Deus.

– O homem que está lá em baixo – explicou João – diz que vem da parte do Padre de Varzim.

O Dono da Casa ficou rubro. Fitou o filho e disse, pronunciando claramente e secamente as palavras:

– Diz-lhe que o Padre de Varzim já sabe que só recebo os pobres ao sábado. O homem que venha no sábado.

– Pai – tornou a pedir João –, venha vê-lo agora.

– Não – respondeu o Dono da Casa.

João saiu da sala e voltou à cozinha.

Durante um momento fitou o pobre em silêncio.

A chuva tinha cessado. Só se ouvia o barulho de Gertrudes a lavar panelas. Joana no canto fitava o lume com o olhar ausente e desbotado.

Por fim João disse:

— O meu pai não quis vir. Eu pedi, mas ele não quis vir.

— Obrigado — disse o homem.

— Quando te torno a ver? — perguntou João.

— Vem ver-me a Varzim — respondeu o homem.

Depois levantou-se, deu as boas-noites e saiu. João viu-o desaparecer na escuridão, enquanto pela porta aberta entrava um perfume verde de jardim molhado.

Gertrudes aproximou-se da mesa dos pobres para levantar o copo, o talher e o prato.

— Olhem — exclamou ela —, o homem não tocou na comida!

— Ah! — disse a velha Joana, levantando a cabeça como se acordasse de repente —, também Deus não recebeu as ofertas de Caim.

— Que história é essa? — perguntou a cozinheira.

— É uma história do princípio do Mundo — disse a velha. — É a história dos filhos de Adão e Eva. Chamavam-se Caim e Abel. E Caim matou Abel, seu irmão.

III

Meia hora depois o Bispo, dentro do seu automóvel, rolava na estrada. Ia triste e com a alma pesada. Pensava no Abade de Varzim.

O Dono da Casa e o Homem Importante tinham-no entontecido com as suas boas maneiras e os seus argumentos lógicos. Ele estava velho. Já não tinha inteligência nem força para lutar. Estava cansado do mundo. Os seus amigos eram os seus inimigos; e os seus inimigos eram mais fortes do que ele. A sua mente estava obscurecida. Sentia-se só entre os homens e Deus parecia-lhe infinitamente oculto e velado. E a estrada que os faróis arrancavam das trevas, desolada entre fileiras de árvores despidas, coberta de lama, despojada pelo Inverno, escurecida pela noite, pareceu-lhe a própria imagem da sua alma.

O carro saiu das curvas da serra e entrou numa recta.

Ao longe os faróis iluminaram um vulto que seguia pela beira da estrada. O vulto dum homem que caminhava sozinho.

Quando o carro passou junto dele, o Bispo disse ao chauffeur:

— Pare. — Vamos levar este homem.

O Bispo abriu o vidro e chamou o mendigo:

— Para onde vais?

O homem aproximou-se e respondeu:

– Vou para casa do Padre de Varzim.

– Ah! Vens da Casa Grande?

– Venho.

– És o homem que pediu para falar ao Dono da Casa?

– Sou.

O Bispo olhou-o. Era um homem igual a muitos outros. Lembrava a gente de Varzim. Tinha lama nos trapos e a escrita da fome na cara. Nas mãos havia um gesto de paciência. Um gesto muito antigo de paciência. E de repente pareceu ao velho Bispo que todo o abandono do mundo, todo o sofrimento, toda a solidão, o olhavam de frente no rosto daquele homem. Coisa difícil de olhar de frente.

Por isso o Bispo baixou a cabeça enquanto dizia:

– Varzim é longe e o caminho para lá é difícil. O chão está transformado em lama e a enxurrada encheu de pedregulhos os carreiros da serra. Vem comigo e fica esta noite em minha casa.

O mendigo não respondeu.

O Bispo levantou a cabeça, mas na sua frente viu só a noite.

– Homem, onde estás? – chamou ele.

Mas ninguém respondeu.

Então o velho prelado saiu do seu carro. Olhou e escutou: na estrada e nos campos não avistou nenhum vulto. Nem ouviu o menor barulho de passos. Mandou ao chauffeur que procurasse o mendigo. Mas o chauffeur também não o encontrou. Os pés do Bispo estavam agora enterrados na lama. A Lua surgiu entre as nuvens. Mas o luar mostrava apenas um descampado vazio, onde ninguém se afastava. O silêncio estava atento e suspenso.

O Bispo tapou a cara com as mãos. Agora tentava reconhecer dentro de si mesmo o homem que encontrara. Assim esteve algum tempo. Depois destapou a cara e murmurou:

— Aquilo que eu fiz tem de ser desfeito.

Subiu outra vez para dentro do carro e disse ao chauffeur:

— Temos de voltar para trás.

Quando chegaram à Casa Grande as luzes ainda estavam acesas. Mas o barulho do «claxon» ao portão, àquela hora, causou grande alvoroço.

Um criado desceu a correr a escada e veio abrir. A chave deu penosamente a volta na fechadura e as portas de ferro gemeram nos seus gonzos. O automóvel do Bispo entrou, atravessou o pátio e veio parar em frente das escadas de pedra.

Curiosa de saber quem seria aquela visita do meio da noite, a Dona da Casa espreitou entre as cortinas através do vidro.

— É outra vez o Bispo! — exclamou ela, espantada.

E foi prevenir o marido.

Trôpego, trôpego, o velho Bispo subia a escada. Subia com pesados passos, costas curvadas e a mão trémula apoiada ao corrimão de pedra e musgo. Trazia os sapatos sujos de lama.

Quando chegou ao cimo, o marido e a mulher já o esperavam na entrada.

O brilho da noite fazia luzir os azulejos azuis.

– Preciso de lhe falar – disse o Bispo ao Dono da Casa.

– Está frio aqui. É melhor entrar para a sala.

Na sala as cadeiras pareciam tesas e espantadas e o brilho da hora tardia boiava nos espelhos subitamente acordados pela luz. O Bispo não se quis sentar e ficou de pé junto duma mesa.

– Não vale a pena sentar-me, não me demoro, o que tenho a dizer diz-se depressa.

Mas não sabia como começar.

– Aconteceu alguma coisa? – perguntou o Dono da Casa.

– Aconteceu.

Houve um novo silêncio. Depois, devagar, o Bispo disse:

– Não sei contar o que vi. Hoje, esta noite, foi acusado um homem justo. Mas o próprio Deus veio ser sua testemunha.

– Não compreendo – disse o Dono da Casa.

– Hoje, aqui, o padre novo de Varzim foi acusado.

– E Deus desceu do céu para testemunhar por ele?

– É verdade.

– Desculpe, senhor Bispo, desculpe que eu não posso acreditar.

O Bispo olhou o Dono da Casa, o dono dos quadros, das pratas, dos campos, das vinhas, dos pinhais e da serra. E viu que era como se todas as coisas que aquele homem possuía tivessem formado à roda dele um espesso muro que o separava da realidade. Ele estava fechado na certeza dos seus direitos.

E, com tristeza, o Bispo respondeu:

— Eu sei que não pode acreditar.

Depois, devagar, continuou:

— O padre de Varzim não foi só acusado. Foi também vendido. Vendido pelo telhado de uma igreja. Da Igreja da Senhora da Esperança.

O Dono da Casa quase não acreditou nas palavras que ouvia. Pois ele não tinha nenhuma intenção de se confessar. Era mesmo como se ele tivesse perdido ou rejeitado há muito tempo a possibilidade de se reconhecer a si próprio. Por isso respondeu seco, dominando a sua cólera:

— Não compreendo porque é que disse vendido. Não houve nenhuma venda. Dei uma esmola e fiz, de acordo com a minha consciência, um pedido.

— Mas eu — respondeu o Bispo, confessando-se amargamente — prometi mudar para outro lugar o padre novo. Fiz uma promessa e recebi dinheiro. Não posso cumprir a promessa e quero entregar a quem mo deu este dinheiro.

E a mão enrugada poisou os dois cheques em cima da mesa.

O Dono da Casa olhou o gesto com um misto de furor, espanto e indignação. O Bispo, aquele prelado tão polido, estava a trair as regras do jogo. Às regras da boa educação respondia com problemas de consciência. Acusava-o a ele, Dono da Casa, de fazer negócios inconfessáveis e confusos. Acusava-o em palavras claras, inconfundíveis. Nem ao menos se exprimia indirectamente e por meio de alusões. E, no fundo da sua alma, o Dono da Casa teve grande vontade de receber o dinheiro e de dar ao Bispo uma resposta crua. Mas lembrou-se que não convinha ter questões com o Bispo, lembrou-se da sua fama, da sua reputação e da boa educação que tinha recebido em pequeno. Por isso conteve-se e disse com alguma pompa:

– Não compreendo. O dinheiro que dei não tem nada a ver com o Padre de Varzim. São duas questões completamente diferentes. Vossa Excelência Reverendíssima está a fazer uma confusão lamentável. Dei uma esmola e nunca torno a receber o que dou. Mas este assunto não pode ser resolvido só por nós os dois. É preciso sabermos qual é a opinião do meu hóspede.

O Dono da Casa tocou pelo criado e mandou-o chamar o Homem Importante.

Mas o criado António percorreu em vão a casa. O Homem Importante, o hóspede imprevisto da noite, tinha desaparecido. Não estava nem no quarto nem nas salas, nem nas escadas, nem nos corredores. O seu carro e o seu chauffeur tinham-se volatilizado, e até o sulco das rodas do seu carro se tinha apagado no saibro molhado do pátio.

Estas notícias perturbaram o Dono da Casa. Deixou a mulher na sala a fazer companhia ao Bispo e foi ele próprio, à frente dos criados, passar uma revista à casa e aos jardins. Subiram ao sótão, desceram à cave, espreitaram no poço, António espreitou atrás das cortinas; Mariana, a criada de quartos, espreitou debaixo da cama. O Dono da Casa espreitou atrás dos arbustos. Mas o desaparecido não apareceu.

Terminada a busca, o Bispo, o Dono e a Dona da Casa, o criado António, Júlia, a criada da sala, e Mariana, a criada dos quartos, reunidos pelo espanto, formaram um círculo na sala, comentando o sucedido. O Dono da

Casa pediu ao Bispo que lhe desculpasse a estranheza da situação. Não havia explicação possível. Instalara-se no ar um pesado mal-estar. A Dona da Casa estremecia quando as madeiras estalavam e, lá fora, as sombras do jardim tinham tomado um ar suspeito.

Finalmente, falou o Bispo:

— É tarde. Amanhã pensaremos melhor. O seu hóspede vai com certeza aparecer ou dar alguma notícia. Vou-me retirar. Deixo-lhe aqui os dois cheques.

Mas quando olharam para a mesa só viram um cheque. Era o do Dono da Casa. O outro, o cheque do Homem Importante, tinha desaparecido.

Os presentes olharam-se transtornados. Mãos e olhares percorreram nervosamente a sala à procura do pequeno papel.

— Vê debaixo da mesa — disse a Dona da Casa ao criado.

António pôs-se de gatas e mergulhou de baixo da colcha de seda vermelha que cobria a mesa. Passado um instante, no gesto dum fotógrafo antigo retirando a cabeça dos panos da sua máquina, reapareceu e disse:

— Não está.

— Era nominal ou ao portador? — perguntou o Dono da Casa ao Bispo.

— Não sei, não olhei — confessou o Bispo, atrapalhado.

A confusão aumentava.

— Tenho de prevenir o banco — disse o Dono da Casa. — Vossa Excelência Reverendíssima viu que banco era?

— Não, não vi.

A complicação crescia.

Mas o Bispo estava agora muito cansado dos negócios do mundo.

– Vou deixar o assunto nas suas mãos – disse ele ao Dono da Casa. – A noite há-de trazer conselho. E o dia de amanhã deve trazer algum esclarecimento. Vou-me retirar.

Tornou a despedir-se e saiu.

Depois da saída do Bispo, o Dono da Casa pôs os criados à procura do cheque. Levantaram-se os tapetes, as almofadas dos sofás, as revistas que estavam em cima da mesa. Mas, ao fim de meia hora, o cheque ainda não tinha aparecido.

Finalmente, o patrão disse aos criados:

– Vou-me deitar. Continuem a procurar; o cheque não pode ter desaparecido. Boa noite.

Saíu, e António, Júlia e Mariana olharam-se com desânimo.

– Fiquem vocês à procura aqui, eu vou procurar nos corredores. Talvez o cheque tenha voado com as correntes de ar – disse o criado António.

– Ou talvez o diabo o tenha levado! – disse a criada Júlia.

António deitou um olhar sem esperança ao chão dos corredores e dirigiu-se à cozinha para desabafar com Gertrudes.

– Mas, afinal – perguntou a cozinheira –, quem era este senhor, tão importante?

– Não sei – respondeu o criado –, só sei que parece que entrou o demónio nesta casa.

— Quem sabe! — disse a velha Joana, pondo no lume o seu olhar cansado. — Quem sabe! Talvez ele fosse realmente o Diabo! Nos tempos que correm pode bem ser.

— Nos tempos que correm — disse a cozinheira — já não há Deus nem Diabo. Há só pobres e ricos. E salve-se quem puder.

E, pegando num pano, Gertrudes limpou no chão de tijolo as pegadas do mendigo.

A VIAGEM

A estrada ia entre campos e ao longe, às vezes, viam-se serras. Era o princípio de Setembro e a manhã estendia-se através da terra, vasta de luz e plenitude. Todas as coisas pareciam acesas.

E, dentro do carro que os levava, a mulher disse ao homem:

— É o meio da vida.

Através dos vidros, as coisas fugiam para trás. As casas, as pontes, as serras, as aldeias, as árvores e os rios fugiam e pareciam devorados sucessivamente. Era como se a própria estrada os engolisse.

Surgiu uma encruzilhada. Aí viraram à direita. E seguiram.

— Devemos estar a chegar — disse o homem.

E continuaram.

Árvores, campos, casas, pontes, serras, rios, fugiam para trás, escorregavam para longe.

A mulher olhou inquieta em sua volta e disse:

— Devemos estar enganados. Devemos ter vindo por um caminho errado.

— Deve ter sido na encruzilhada — disse o homem, parando o carro. — Virámos para o Poente, devíamos ter virado para o Nascente. Agora temos de voltar até à encruzilhada.

A mulher inclinou a cabeça para trás e viu quanto o

Sol já subira no céu e como as coisas estavam a perder devagar a sua sombra. Viu também que o orvalho já secara nas ervas da beira da estrada.

– Vamos – disse ela.

O homem virou o volante, o carro deu meia volta na estrada e voltaram para trás.

A mulher, cansada, fechou um pouco os olhos, encostou a cabeça nas costas do banco e pôs-se a imaginar o lugar para onde iam. Era um lugar onde nunca tinham ido. Nem conheciam ninguém que lá tivesse estado. Só o conheciam do mapa e de nome. Dizia-se que era um lugar maravilhoso.

Ela pensou que a casa devia ser silenciosa, cheia de paz e branca, rodeada de roseiras; e pensou que o jardim devia ser grande e verde, percorrido de murmúrios.

E alguém lhe tinha dito que no jardim passava um rio claro, brilhante, transparente. No fundo do rio via-se a areia e viam-se as pequenas pedras limpas e polidas. Nas margens crescia erva fina, misturada com trevo. E árvores de copa redonda, carregadas de frutos, cresciam nesse prado.

– Logo que chegarmos – disse ela –, vamos tomar banho no rio.

– Tomamos banho no rio e depois deitamo-nos a descansar na relva – disse o homem, sempre com os olhos fitos na estrada.

E ela imaginou com sede a água clara e fria em roda dos seus ombros, e imaginou a relva onde se deitariam os dois, lado a lado, à sombra das folhagens e dos frutos. Ali parariam. Ali haveria tempo para poisar os olhos nas coisas. Ali haveria tempo para tocar as coisas. Ali poderiam respirar devagar o perfume das roseiras. Ali tudo seria demora e presença. Ali haveria silêncio para escutar o murmúrio claro do rio. Silêncio para dizer as graves e puras palavras pesadas de paz e de alegria. Ali nada faltaria: o desejo seria estar ali.

Através dos vidros, campos, pinhais, montes e rios fugiam para trás.

— Devemos estar a chegar à encruzilhada — disse o homem.

E seguiram.

Rios, campos, pinhais e montes. E meia hora passou.

— Já devíamos ter chegado à encruzilhada — disse o homem.

— Com certeza nos enganámos no caminho — disse a mulher.

— Não nos podemos ter enganado — disse o homem —, não havia outro caminho.

E seguiram.

— A encruzilhada já devia ter aparecido — disse o homem.

— O que é que vamos fazer? — perguntou a mulher.

— Seguir em frente.

— Mas estamos a perder-nos.

— Não vejo outro caminho — disse o homem.

E seguiram.

Encontraram rios, campos, montes; atravessaram rios, campos, montes; perderam rios, campos, montes. As paisagens fugiam, puxadas para trás.

— Estamos a perder-nos cada vez mais — disse a mulher.

– Mas onde há outro caminho? – perguntou o homem.

E parou o carro.

À esquerda havia uma grande planície vazia; à direita uma colina coberta de árvores.

– Vamos subir ao alto da colina – disse o homem. – De lá devem avistar-se todos os caminhos em redor.

Subiram ao alto da colina e não avistaram estradas; mas avistaram um cavador a cavar numa horta.

Caminharam para ele e perguntaram-lhe se sabia o caminho para a encruzilhada.

– Sei – disse o cavador –, é para além.

– Podes guiar-nos até lá?

– Posso, mas primeiro tenho de acabar este rego para a água passar. Demoro pouco.

– Nós esperamos – disse o homem.

– Tenho sede disse a mulher.

– Além, atrás dos penedos – disse o cavador, apontando –, há uma fonte. Ide lá beber enquanto eu acabo o rego.

Caminharam na direcção que o cavador apontara e atrás dos penedos encontraram a fonte.

A fonte caía do alto e espetava-se na terra, direita, limpa e brilhante como uma espada.

Ali beberam e ficaram com a cara e os cabelos todos salpicados de gotas, riram de alegria na frescura da água, esqueceram o cansaço, o caminho perdido, a viagem. A mulher sentou-se numa pedra coberta de musgo, o homem sentou-se ao seu lado e os dois permaneceram alguns momentos de mãos dadas, imóveis e calados.

Depois, um pássaro poisou perto da fonte e o homem disse:

— Temos de ir.

Levantaram-se e tomaram o caminho da horta, à procura do cavador.

Mas quando chegaram à horta o cavador não estava lá. Viram a água a correr nos regos; viram a salsa e a hortelã crescendo lado a lado; mas não viram o cavador.

— Não quis esperar — disse o homem.

— Por que é que nos mentiu?

— Talvez não quisesse mentir. Talvez não pudesse esperar. Ou talvez se esquecesse de nós.

— E agora? — perguntou a mulher.

— Vamos voltar para o carro e vamos seguir na direcção que ele há pouco apontou.

Subiram e desceram a colina em direcção ao carro, mas quando chegaram à estrada o carro tinha desaparecido.

— Devemos estar enganados; devemos ter vindo noutra direcção.

— Ou alguém nos roubou o carro.

— Onde estará o cavador?

— Talvez tenha ido à fonte à nossa procura.

— Temos de encontrar alguém — disse a mulher.

— Vamos outra vez à fonte; com certeza o cavador foi lá ter.

E puseram-se de novo a caminho.

Subiram e desceram a colina; atravessaram a horta.

Cheirava a hortelã e a terra regada. Mas do outro lado dos penedos não encontraram a fonte.

— Não era aqui — disse o homem.

– Era aqui – disse a mulher. – Era aqui. Tenho medo. Vamos voltar depressa para a estrada.

E foram pela estrada à procura do carro.

– Que vamos fazer? – perguntou a mulher.

– Alguém há-de passar – respondeu o homem.

Seguiram pela estrada. O Sol continuava a subir no céu.

– Estou cansada – disse a mulher.

– Quando chegarmos à terra para onde vamos, descansarás, estendida na relva, à sombra das árvores e dos frutos.

– Temos de encontrar depressa o caminho – disse a mulher.

Ao longe, entre pinhais, surgiu uma casa.

– Vamos até lá – disse o homem. – Talvez lá esteja alguém que nos saiba ensinar o caminho.

Havia uma ligeira brisa e os pinheiros ondulavam.

Bateram à porta da casa. Ninguém respondeu. Escutaram e pareceu-lhes ouvir vozes. Tornaram a bater. Ninguém respondeu. Esperaram. Bateram de novo, com força, espaçadamente, nitidamente, devagar. As pancadas ressoaram. Ninguém respondeu.

Então o homem avançou o ombro direito e arrombou a porta. Mas a casa estava vazia.

Era uma pequena casa de camponeses. Uma casa nua, onde só estavam escritos os gestos da vida. Havia uma cozinha e dois quartos. Num rebordo da parede de cal estava colocada uma imagem; em frente da imagem ardia uma lamparina de azeite; ao lado, alguém poisara um ramo de flores bentas na Páscoa.

Não havia ninguém na cozinha. Não havia ninguém

nos quartos. Não havia ninguém nas traseiras, onde as roupas secavam, dependuradas no arame, gesticulando na brisa.

No forno a cinza ainda estava quente e em cima de uma mesa havia vinho e pão.

— Tenho fome — disse a mulher.

Sentaram-se e comeram.

— E agora? — perguntou a mulher.

— Vamos voltar outra vez para a estrada e continuar — disse o homem.

Saíram e atravessaram o pinhal. Mas a estrada tinha desaparecido.

— Tenho medo — disse a mulher. Agora tenho sempre cada vez mais medo. Tudo desaparece.

— Estamos juntos — disse o homem.

— Mas o que é que vamos fazer sem estrada?

— Vamos voltar para a casa — disse o homem — e lá esperaremos até que os donos cheguem e nos ensinem o caminho e nos ajudem.

E de novo atravessaram os pinhais. Mas no lugar onde tinha sido a casa agora havia só uma pequena clareira e pedras espalhadas.

Ambos ficaram mudos. Depois a mulher deixou-se cair no chão, e, estendida entre as pedras, chorou com a cara encostada à terra.

— Vamos — disse o homem.

— Para onde? — perguntou ela.

— Havemos de encontrar qualquer caminho.

— Para quê? Perdemos tudo quanto encontramos.

O homem ajoelhou ao lado da mulher e limpou na cara dela as lágrimas e a terra.

Depois levantou-a e ambos seguiram para a frente.

Atravessaram o pinhal e encontraram um campo.

Mas não se via nenhum caminho.

No meio do campo havia uma macieira carregada de maçãs vermelhas, polidas e redondas.

– São lindas! – disse a mulher.

Colheu uma para si e outra para o homem. Sentaram-se os dois nas ervas finas sob a sombra sossegada da árvore e a carne firme, fresca e limpa da maçã estalou entre os seus dentes.

Era já o princípio da tarde, e no dia cheio de luz, encostados ao duro tronco escuro e rugoso, descansaram em silêncio, ouvindo só o levíssimo rumor da terra sob o sol.

Depois o homem disse:

– Vamos.

Levantaram-se e seguiram.

Já no extremo daquele campo, junto à sebe que o separava de outro campo, a mulher exclamou:

– Devíamos ter colhido algumas maçãs para trazer. Não sabemos onde estamos, nem quanto teremos de andar até encontrarmos outra vez alguma coisa de comer.

– É verdade – respondeu o homem.

E, voltando para trás, caminharam para a macieira que no meio do campo se desenhava redonda.

Porém, quando chegaram ao pé da árvore, viram que nos ramos, entre as folhas, todos os frutos tinham desaparecido.

— Alguém passou por aqui, passou sem o vermos e colheu as maçãs todas — disse o homem.

— Ah! — exclamou a mulher — tão depressa! Tão depressa desaparece tudo! Encontramos as coisas. Estão ali. Mas quando voltamos já desapareceram. E nem sabemos quem as desfez e as levou.

Baixando a cabeça retomaram em silêncio a caminhada.

Atravessaram sucessivos campos mas não encontraram ninguém que os guiasse e lhes respondesse. Junto de uma sebe viram no chão um tarro de cortiça e uma bilha de barro.

A mulher destapou o tarro e espreitou dentro da bilha.

— Estão vazios — disse ela.

— Onde estará o dono?

Olharam em redor mas não se avistava ninguém. Chamaram, ninguém respondeu.

— Talvez esteja do outro lado da sebe — disse a mulher.

Atravessaram a sebe mas do outro lado não viram nenhum homem. Viram só um pequeno regato que corria quase escondido entre trevos e agriões. Ajoelhados lavaram as mãos e a cara. Na concha das suas mãos a mulher bebeu e deu de beber ao homem.

— Se tivéssemos trazido a bilha — disse ela —, poderíamos levar água connosco.

— E também no tarro poderíamos levar frutos. Vamos buscar a bilha e o tarro.

Atravessaram a sebe.

Mas a bilha estava partida e o tarro estava todo roído.

— Quem a terá partido?

— Talvez a brisa ou algum animal passando.

— Quem o terá roído?

— Os ratos, as serpentes, as toupeiras, os cães selvagens.

— Quebrados e roídos já não servem.

— Vamos embora depressa — disse a mulher.

Era já o meio da tarde quando viram uma grande floresta, de cuja orla partia um carreiro.

— Vamos pelo carreiro. Indo por aqui temos que encontrar gente. Os carreiros são feitos para passarem pessoas. Os carreiros são feitos para levar até aos lugares onde há gente.

E entraram na floresta.

Carvalhos, castanheiros, tílias e bétulas, cedros e pinheiros cruzavam os seus ramos. Grandes raios de luz oblíqua passavam entre os troncos. O ar era verde e doirado.

— Que bonita floresta! — exclamou a mulher.

— Que bonita floresta! — exclamou o homem.

Aqui e além estalava um ramo seco. Às vezes uma pinha caía do alto. Ouvia-se o murmúrio da brisa nas folhas altas. Ouvia-se o canto dos pássaros escondidos. Ouvia-se o silêncio dos musgos e da terra.

E embalados na beleza, na música e no perfume da floresta, o homem e a mulher seguiram de mão dada pelo carreiro.

Até que ouviram ao longe um som de machadadas.

Foram andando e foram-se aproximando do som.

— Vem dali! — disse a mulher.

E saindo do carreiro meteram à direita.

Encontraram um lenhador a rachar lenha.

– Estamos perdidos – disse o homem –, andamos à procura do caminho para a estrada.

– Ide sempre a direito pelo carreiro – disse o lenhador – e encontrareis a estrada.

– Obrigado – disse o homem.

E voltaram os dois para trás.

Mas não encontraram o carreiro.

– Como é que o perdemos? – disse a mulher.

– Vamos pedir ao lenhador que nos guie – disse o homem.

Voltaram ao lugar onde tinham falado ao lenhador. Mas só encontraram lenha rachada. O lenhador tinha desaparecido.

– Foi-se embora – disse a mulher.

– Não deve estar longe. Vamos chamar.

Repetidas vezes chamaram. Mas nenhuma voz, nenhum rumor humano lhes respondeu. Só ouviam cantos de pássaros, sons de ramos secos estalando, murmúrios de brisa nas folhas.

– Vamos escutar calados – disse o homem. – Ele não pode ainda estar longe, talvez se possa ainda ouvir o barulho dos seus passos.

E escutaram calados.

Mas só se ouviam os barulhos da floresta.

– Sei uma maneira melhor de escutar – disse a mulher.

E pôs-se de joelhos e encostou, primeiro um, depois o outro, os ouvidos à terra.

Mas só ouviu o silêncio palpitante da terra.

– Só oiço a terra – disse ela.

– Vamos para a frente – respondeu o homem.

E seguiram.

Encontraram uma sebe carregada de amoras.

– São maravilhosas! – disse a mulher.

O homem colheu um punhado de amoras e estendeu-as na palma da mão à mulher. Ela provou e tornou a dizer:

– São maravilhosas!

Rindo, começaram os dois a colher amoras e, tendo reunido uma grande quantidade, sentaram-se no chão a comer. A luz oblíqua da tarde passava entre os troncos escuros e acendia o verde das ervas. Quando acabaram de comer, o homem disse:

– Temos de ir. Temos de encontrar a estrada e a terra para onde vamos.

– Como havemos de encontrar essa terra, se nem sabemos onde estamos?

– Temos de procurar – respondeu o homem.

Levantaram-se para partir.

– Espera – disse a mulher. – Quero levar amoras.

E, desatando o nó do lenço que trazia ao pescoço, abriu e estendeu o lenço no chão. Começaram os dois a colher amoras e reuniram uma grande pirâmide dentro do lenço. Depois ataram duas a duas as quatro pontas.

– Vamos – disse o homem passando o dedo entre os dois nós.

E retomaram o seu caminho.

Iam de mãos dadas através do ar doirado e verde.

Esta floresta é linda! – disse a mulher.

– É – disse o homem –, mas não encontrámos ainda a estrada.

A mulher porém entornou a cabeça para trás e respirou profundamente o cheiro das árvores e da terra. Estendeu a mão no ar e na ponta dos seus dedos poisou uma borboleta.

– Ah! – disse ela –, mesmo perdida, vejo como tudo é perfumado e belo. Mesmo sem saber se jamais chegarei, apetece-me rir e cantar em honra da beleza das coisas. Mesmo neste caminho que eu não sei onde leva, as árvores são verdes e frescas como se as alimentasse uma certeza profunda. Mesmo aqui a luz poisa leve nos nossos rostos como se nos reconhecesse. Estou cheia de medo e estou alegre.

– O ar e a luz – disse o homem – são bons e belos. Se não estivéssemos perdidos, esta caminhada seria uma viagem maravilhosa. Mas o ar e a luz não nos sabem ensinar a estrada.

Ouviram um pequeno murmúrio cristalino e, dando mais alguns passos, encontraram um rio.

Era um pequeno rio estreito e claro em cujas margens cresciam flores selvagens cor-de-rosa e brancas.

O homem e a mulher deitaram-se de bruços no chão, aproximaram a cara da água e começaram a beber.

– Que água tão limpa! – exclamou a mulher. – Vamos tomar um banho.

Despiram-se e entraram no rio.

Ora rindo, ora em silêncio, nadaram muito tempo. Mergulhavam de olhos abertos, tocando as pequenas pedras polidas do fundo, atravessando um mundo suspenso, transparente e verde. Trutas azuis deslizavam rente aos seus gestos.

Depois estenderam-se à sombra doirada da floresta sobre as relvas das margens. O perfil da mulher recortava-se entre as flores.

– Aqui é quase como na terra para onde vamos – disse ela.

É – respondeu o homem –, mas aqui é um lugar de passagem.

E ambos se levantaram e se vestiram.

– Vamos? – perguntou ele.

– Espera um momento – respondeu a mulher. – Quero primeiro colher flores para levar.

Ajoelhou-se no chão e começou a fazer um ramo. E o homem reparou que ela colhia as flores arrancando-as com a raiz e perguntou:

– Por que é que colhes as flores com a raiz?

– Porque as quero plantar na terra para onde vamos. Não sei se lá há flores iguais a estas – respondeu a mulher.

E seguiram.

Agora o dia começava a cair.

– Tenho fome – disse a mulher.

– Temos as amoras – disse o homem.

Pousou o lenço no chão e desatou os nós.

Mas o lenço estava vazio.

Ficaram uns momentos calados. Depois o homem disse:

– As pontas do lenço estavam com certeza mal atadas e as amoras foram-se perdendo uma por uma à medida que íamos andando. Uma por uma. Nem as senti cair.

– Tenho fome – disse a mulher.

— Vamos para a frente — disse o homem.

Viram ao longe entre as árvores um clarão vermelho.

— É o pôr do Sol! — exclamou a mulher. — Já é o pôr do Sol!

— Vamos depressa — disse o homem. — Vem aí a noite e ainda não encontrámos o caminho.

E foram quase correndo.

Entre as sombras do crepúsculo ouviram de repente vozes.

— Gente! — exclamou o homem. — Estamos salvos!

— Salvos? — perguntou a mulher.

E de novo se ouviram vozes.

— Estão para aquele lado — disse a mulher, apontando para a esquerda.

— Não, estão para além — disse o homem, apontando para a direita.

O homem agarrou a mão da mulher e correram os dois para a direita.

Mas à medida que iam correndo, as vozes iam-se tornando-se mais distantes.

— Vão mais depressa do que nós! — queixou-se a mulher.

— Mas — respondeu o homem — se conseguirmos ao menos seguir a direcção que levam estaremos salvos.

Assim foram, escutando e correndo, enquanto as sombras do crepúsculo cresciam. Até que as vozes deixaram de se ouvir e a noite caiu espessa e cerrada.

A Lua ainda não tinha nascido. Por todos os lados os rodeavam sombras, ruídos, murmúrios que eles confundiam com vultos, passos, vozes. Mas eram apenas trevas, troncos de árvores, galhos secos que estalavam, sussurrar de folhagens.

– Estamos perdidos? – perguntou a mulher.

– Não sabemos – disse o homem.

Seguiram devagar, de mão dada, em silêncio, encostados um ao outro.

Até que de repente viram que tinham chegado ao fim da floresta.

Cheios de esperança, avançaram para o espaço descoberto, mas, saindo do arvoredo, encontraram à sua frente um abismo.

Debruçados espreitaram. Porém, à luz das estrelas nada viam diante de si senão um poço de escuridão, enquanto um frio de mármore lhes tocava a cara.

– É um precipício – disse o homem. – A terra está separada em nossa frente. Não podemos dar nem sequer mais um passo.

– Olha! – respondeu a mulher.

E apontou um estreito carreiro que seguia rente ao abismo. Tinha à esquerda uma alta arriba de pedra e à direita o vazio.

– Vamos – disse o homem.

– Tenho medo – disse a mulher.

– Estamos juntos – respondeu o homem –, não tenhas medo.

E seguiram pelo carreiro.

O homem ia à frente e a mulher atrás segurava-se com a mão esquerda aos penedos e com a mão direita ao ombro do homem.

Iam em silêncio sob o brilho escuro das estrelas, medindo cada gesto e cada passo.

Mas de repente o corpo do homem oscilou, rolaram pequenas pedras. Ele gritou à mulher:

– Segura-me!

Mas já o ombro dele escorregava das mãos dela. E a mulher gritou:

– Agarra-te à terra!

Mas nenhuma voz lhe respondeu, pois no grande silêncio nítido e sonoro só se ouvia o rolar das pedras.

Ela estava sozinha, vestida de terror, agarrada ao chão em frente do vazio.

– Responde! – gritou debruçada sobre o abismo.

Longe, o eco da sua voz repetiu:

– Responde.

Estava estendida na terra, com as mãos enterradas na terra, e começou a gritar como quem está perdido no meio dum sonho. Depois parou de gritar e murmurou:

– Tenho de o ir procurar.

Seguiu de rasto pelo carreiro, tacteando o chão com as mãos à busca duma passagem por onde pudesse descer para procurar o homem. Mas não havia passagem.

Então tentou descer pela própria vertente do abismo. Agarrando-se a ervas e raízes deixou-se escorregar ao longo do precipício. Mas os seus pés não encontravam nenhum apoio onde pudessem firmar-se. Pois a vertente descia a pique, era uma parede lisa de pedra nua.

– Tenho de voltar para o carreiro – pensou a mulher – e tenho de procurar mais adiante uma passagem.

E, agarrada a ervas e raízes, içou-se para o carreiro.

Mas o carreiro tinha desaparecido. Agora havia apenas um estreito rebordo onde ela não cabia, onde nem os seus pés cabiam. Um rebordo sem saída. Aí ficou, de lado, com os pés um em frente do outro, com o lado direito do seu corpo colado à pedra da arriba e o lado esquerdo já banhado pela respiração fria e rouca do abismo. Sentia que as ervas e as raízes a que se segurava cediam lentamente com o peso do seu corpo. Compreendia que agora era ela que ia cair no abismo. Viu que, quando as raízes se rompessem, não se poderia agarrar a nada, nem mesmo a si própria. Pois era ela própria o que ela agora ia perder.

Compreendeu que lhe restavam somente alguns momentos.

Então virou a cara para o outro lado do abismo. Tentou ver através da escuridão. Mas só se via escuridão. Ela, porém, pensou:

— Do outro lado do abismo está com certeza alguém.

E começou a chamar.

RETRATO DE MÓNICA

Mónica é uma pessoa tão extraordinária que consegue simultaneamente: ser boa mãe de família, ser chiquíssima, ser dirigente da «Liga Internacional das Mulheres Inúteis», ajudar o marido nos negócios, fazer ginástica todas as manhãs, ser pontual, ter imensos amigos, dar muitos jantares, ir a muitos jantares, não fumar, não envelhecer, gostar de toda a gente, gostar dela, dizer bem de toda a gente, toda a gente dizer bem dela, coleccionar colheres do séc. XVII, jogar golfe, deitar-se tarde, levantar-se cedo, comer iogurte, fazer ioga, gostar de pintura abstracta, ser sócia de todas as sociedades musicais, estar sempre divertida, ser um belo exemplo de virtudes, ter muito sucesso e ser muito séria.

Tenho conhecido na vida muitas pessoas parecidas com a Mónica. Mas são só a sua caricatura. Esquecem-se sempre ou do ioga ou da pintura abstracta.

Por trás de tudo isto há um trabalho severo e sem tréguas e uma disciplina rigorosa e constante. Pode-se dizer que Mónica trabalha de sol a sol.

De facto, para conquistar todo o sucesso e todos os gloriosos bens que possui, Mónica teve que renunciar a três coisas: à poesia, ao amor e à santidade.

A poesia é oferecida a cada pessoa só uma vez e o efeito da negação é irreversível. O amor é oferecido raramente e aquele que o nega algumas vezes depois não o encontra mais. Mas a santidade é oferecida a cada pessoa de novo cada dia, e por isso aqueles que renunciam à santidade são obrigados a repetir a negação todos os dias.

Isto obriga Mónica a observar uma disciplina severa. Como se diz no circo, «qualquer distracção pode causar a morte do artista». Mónica nunca tem uma distracção. Todos os seus vestidos são bem escolhidos e todos os seus amigos são úteis. Como um instrumento de precisão, ela mede o grau de utilidade de todas as situações e de todas as pessoas. E como um cavalo bem ensinado, ela salta sem tocar os obstáculos e limpa todos os percursos. Por isso tudo lhe corre bem, até os desgostos.

Os jantares de Mónica também correm sempre muito bem. Cada lugar é um emprego de capital. A comida é óptima e na conversa toda a gente está sempre de acordo, porque Mónica nunca convida pessoas que possam ter opiniões inoportunas. Ela põe a sua inteligência ao serviço da estupidez. Ou, mais exactamente: a sua inteligência é feita da estupidez dos outros. Esta é a forma de inteligência que garante o domínio. Por isso o reino de Mónica é sólido e grande.

Ela é íntima de mandarins e de banqueiros e é também íntima de manicuras, caixeiros e cabeleireiros. Quando ela chega a um cabeleireiro ou a uma loja, fala sempre com a voz num tom mais elevado para que todos compreendam que ela chegou. E precipitam-se manicuras e caixeiros. A chegada de Mónica é, em toda a parte, sempre um sucesso. Quando ela está na praia, o próprio Sol se enerva.

O marido de Mónica é um pobre diabo que Mónica

transformou num homem importantíssimo. Deste marido maçador Mónica tem tirado o máximo rendimento. Ela ajuda-o, aconselha-o, governa-o. Quando ele é nomeado administrador de mais alguma coisa, é Mónica que é nomeada. Eles não são o homem e a mulher. Não são o casamento. São, antes, dois sócios trabalhando para o triunfo da mesma firma. O contrato que os une é indissolúvel, pois o divórcio arruína as situações mundanas. O mundo dos negócios é bem-pensante.

É por isso que Mónica, tendo renunciado à santidade, se dedica com grande dinamismo a obras de caridade. Ela faz casacos de tricot para as crianças que os seus amigos condenam à fome. Às vezes, quando os casacos estão prontos, as crianças já morreram de fome. Mas a vida continua. E o sucesso de Mónica também. Ela todos os anos parece mais nova. A miséria, a humilhação, a ruína não roçam sequer a fímbria dos seus vestidos. Entre ela e os humilhados e ofendidos não há nada de comum.

E por isso Mónica está nas melhores relações com o Príncipe deste Mundo. Ela é sua partidária fiel, cantora das suas virtudes, admiradora de seus silêncios e de seus discursos. Admiradora da sua obra, que está ao serviço dela, admiradora do seu espírito, que ela serve.

Pode-se dizer que em cada edifício construído neste tempo houve sempre uma pedra trazida por Mónica.

Há vários meses que não vejo Mónica. Ultimamente contaram-me que em certa festa ela estivera muito tempo conversando com o Príncipe deste Mundo. Falavam os dois com grande intimidade. Nisto não há evidentemente nenhum mal. Toda a gente sabe que Mónica é seriíssima e toda a gente sabe que o Príncipe deste Mundo é um homem austero e casto.

Não é o desejo do amor que os une. O que os une é justamente uma vontade sem amor.

E é natural que ele mostre publicamente a sua gratidão por Mónica. Todos sabemos que ela é o seu maior apoio, o mais firme fundamento do seu poder.

PRAIA

Era uma espécie de clube de Verão, um grande casarão quadrado, pintado de amarelo e com grandes verdes na varanda que dava para a avenida onde os plátanos maravilhosos povoavam a noite.

Cheirava a maresia e a fruta. Longas músicas pareciam suspensas das árvores e das estrelas. E entre as casas brancas, na noite escura e azul, passava o rolar do mar.

Tudo isso envolvia o clube e as suas paredes e janelas, e as suas mesas e cadeiras. E envolvia ainda, agudamente, uma por uma, cada pessoa.

Entrava-se pelo «hall» por uma grande porta que estava sempre aberta.

O «hall» era enorme e tinha no meio uma palmeira nostálgica. A decoração era de 1920, num estilo especial que só existia naquela terra.

Nos bancos verdes, encostados às paredes brancas, cobertas até ao meio por grades de madeira verde, estavam pequenos grupos de pessoas sentadas em frente das mesas verdes.

Havia três grupos escuros de homens e dois grupos mais claros de senhoras de uma certa idade.

À medida que eu ia atravessando o «hall» ia dizendo «Boa noite» aos vários grupos. Depois espreitei através da porta da sala de jogo, que era de vidro. Os jogadores pareciam condenados à morte que tentavam entreter com calma as suas últimas horas. Estavam abstractos e suspensos e não me viram. Tornei a atravessar o «hall» e entrei na sala de baile.

Era dia de orquestra. A orquestra vinha duas vezes por semana de uma praia vizinha. Os músicos eram magros e novos e tinham smokings velhos, ligeiramente esverdeados pelo uso e pela humidade das invernias marítimas. Eram músicos falhados: sem grande arte, com pouco dinheiro e sem fama. Deviam ser ou resignados ou revoltados. Espero que fossem revoltados: é menos triste. Um homem revoltado, mesmo ingloriamente, nunca está completamente vencido. Mas a resignação passiva, a resignação por ensurdecimento progressivo do ser, é o falhar completo e sem remédio. Mas os revoltados, mesmo aqueles a quem tudo – a luz do candeeiro e a luz da Primavera – dói como uma faca, aqueles que se cortam no ar e nos seus próprios gestos, são a honra da condição humana. Eles são aqueles que não aceitaram a imperfeição. E por isso a sua alma é como um grande deserto sem sombra e sem frescura onde o fogo arde sem se consumir.

E assim ali nós ríamos, conversávamos, dançávamos, enquanto, com os seus velhos smokings, os músicos no palco tocavam.

Às vezes alguém se queixava de que tocavam mal.

Pelas janelas abertas a música saía e ia perder-se lá fora por entre as ramagens dos plátanos, misturada com o leve estremecer da brisa e o ressoar fundo do mar.

A sala de baile era grande e comprida. Tinha duas portas que davam para a varanda, duas portas que davam para o «hall» da entrada e uma quinta porta que dava para um «hall» mais pequeno que servia de passagem e ligação entre a sala de baile e o bar.

No fundo da sala de baile havia um palco, onde os músicos tocavam, mas onde nunca se representava nada. Mas sabia-se que antigamente ali se tinha representado. Na parede que ficava à esquerda do palco havia três janelas que davam para uma pequena rua sossegada, onde raramente passava alguém.

Às vezes nos intervalos das danças vínhamos encostar--nos a essas janelas: em frente havia uma casa com paredes brancas, onde o luar ficava azul, e onde se desenhavam, trémulas, inquietas e vivas, as sombras das folhas cheias de gestos.

E nós estendíamos o braço e arrancávamos dos ramos uma folha que trincávamos devagar entre os dentes.

Depois respirávamos o perfume das tílias e levantá-vamos a cabeça para o céu cheio de estrelas e dizíamos:

— Está uma noite maravilhosa!

Outras vezes, quando não dançávamos, conversáva-mos em pequenos grupos, sentados nos compridos sofás forrados de verde encostados ao longo da parede. Havia um leve rumor de amores adolescentes. Era como o rumor da brisa. Pois era o princípio da vida e nada ainda nos tinha acontecido. Ainda nada era grave, trágico, nu e sangrento.

E a noite lá fora, com os seus perfumes misturados, com os seus murmúrios e silêncios e as suas sombras e bri-lhos, parecia o rosto de uma promessa.

Mas não creio que ninguém, ali, nesse tempo, pensasse realmente no futuro. Só talvez dois ou três, cuja vida, mais tarde, tão eficiente e bem administrada, teve sempre um ar de coisa previamente fabricada. Mas só esses. Os outros todos não faziam nenhum cálculo sobre o futuro. Para eles o presente era um prazo ilimitado de disponibilidade, suspensão e escolha. Não calculavam o futuro – apenas, vagamente, o esperavam.

E tão vagamente que muitas vezes era como se esperassem não o futuro, mas sim o passado.

Pois ali se falava muito no passado. Constantemente nas conversas se contavam histórias das gerações anteriores, histórias dum tempo em que o existir era mais definido e mais visível, um tempo em que os sentimentos se tornavam actos e os destinos se cumpriam inteiramente.

Às vezes, de repente, no fundo dos espelhos havia um brilho que era o brilho de uma hora antiga. E então era como se as antigas noites de Agosto e as abolidas tardes de Setembro pudessem, como D. Sebastião, voltar.

Nas avenidas, nas tílias, nas varandas, no barulho dos passos sobre as ruas de saibro e areia, fazendo rolar as pequenas pedras soltas, no mar, igual a um búzio repetindo o ressoar de passados temporais, e até no chão, nas mesas, nas cadeiras, parecia estar suspensa a espera dum regresso.

E à medida que a noite ia avançando, à medida que quase toda a gente ia saindo, à medida que se ia fazendo tarde, a espera ia-se tornando quase consciente, quase visível. Dir-se-ia que o tempo perdido ia surgir e ser tocado.

As pessoas iam-se embora, as salas iam ficando vazias e passavam no ar interrogação e silêncio, como se qualquer coisa, qualquer coisa obscuramente desejada e prometida, não tivesse acontecido.

Os músicos guardavam os instrumentos e fechavam o piano. Escuros e magros, desciam as escadas do palco e depois desapareciam, suponho que por um alçapão, pois nunca os vi sair por nenhuma porta. Ou talvez se diluíssem no ar. Ou talvez fossem deuses da Pérsia e viessem de noite num tapete mágico, para contemplarem, disfarçados de músicos, o fim da sensibilidade do Ocidente.

Porque a espera, a espera das coisas fantásticas, visíveis e reais, a espera das coisas destinadas, prometidas, pressentidas, ia-se tornando quase lucidamente alucinada.

Encostado à ombreira de uma porta, um homem solitário, alto e magro como uma árvore no Inverno, tirou o relógio do bolso e viu as horas. Depois guardou o relógio depressa como se tivesse vergonha do tempo.

Estávamos à espera.

E já éramos poucos e apagava-se a luz da sala de baile, o «hall» estava deserto, na sala de jogo só já quatro jogadores esperavam a morte e quando entrávamos no bar um homem, sempre o mesmo, voltava-se no banco alto e, trazendo o seu copo, vinha sentar-se connosco numa mesa.

E era difícil dizer de que tempo ele vinha; pois dos personagens das histórias de um tempo antigo ele tinha a voz, o olhar e os gestos. Mas não o destino, nem a vida vivida. Era mesmo como se ele tivesse rejeitado todo o destino, toda a vida vivida, como uma coisa alheia, exterior e falsa e lhe bastasse aquele momento, aquele bar, aquela mesa, aquela conversa, aquele copo.

Era como se ele tivesse querido guardar o seu ser à

margem do vivido, por não haver na vida acto nenhum onde o ser pudesse ser cumprido e a existência concreta fosse apenas deturpação, falsificação, profanação.

E assim ele tinha resolvido usar a sua própria vida como não sendo dele, usá-la como os músicos da orquestra usavam os seus fatos alugados.

A hora tardia dilatava, multiplicava e isolava todas as coisas.

Quase toda a gente se tinha ido embora, e o vazio pousava docemente nas mesas e nas cadeiras, enquanto a noite, com a grande sombra das suas árvores atravessadas pelo rumor do mar, entrava pela janela aberta.

E o homem que se tinha vindo sentar junto de nós falava misturando as suas palavras com o tempo, com a noite, com o barulho do mar, com o respirar da brisa nas folhagens. E das suas palavras nascia uma grande imagem que se ia abrindo e desdobrando em inumeráveis espaços.

A sua sensibilidade era tão perfeita que até na própria madeira da mesa a sua mão pousava com ternura. Enquanto falava, abria espantosamente os seus olhos, que eram azuis como o azul de uma chama de álcool. E o seu olhar era desmedido e impessoal como se para além de nós ele olhasse outra coisa. Talvez:

A memória longínqua de uma pátria
Eterna mas perdida e não sabemos
Se é passado ou futuro onde a perdemos.

E, à medida que ele ia falando, a imagem que nascia das suas palavras ia-se tornando interior à alma daqueles que o escutavam, com o mito. Ele era como um limite, como um marco que dissesse:

«Daqui em diante o mar não é mais navegável».

No entanto ele não se confundia com um deus. Nos deuses ser e existir estão unidos. Nele a vida vivida nem sequer era a serva do ser, nem sequer era o chão que o ser pisava, mas apenas acaso sem nexo, desencontro, acidente sem forma e sem verdade, acidente desprezado.

Eu estava sentada na frente dele, do outro lado da pequena mesa. Ele esteve um longo tempo calado. Depois debruçou-se sobre a mesa e disse:

– Ouve:

There is a sea,
A far and distant sea
Beyond the farthest line,
Where all my ships that went astray,
Where all my dreams of yesterday
Are mine.

Lá fora as lâmpadas das ruas já se tinham apagado havia muito tempo.

Era tarde. E o brilho da hora tardia deslizava docemente em roda das mãos e dos copos sobre a mesa polida.

A Lua já tinha desaparecido e o nevoeiro, aéreo e branco, começava a subir do mar e entrava pela janela aberta.

– Voltou o nevoeiro – disse alguém.

Olhámos a janela. Agora o perfume que vinha de fora era ainda mais marítimo e mais fresco.

Às vezes ouvia-se ao longe o apitar dos comboios.

Eram os intermináveis comboios de mercadorias da madrugada, com seus vagões de sal, de gado, de madeira e de pedras. E a mulher da linha, muito direita, mostrava no extremo do seu braço estendido a lanterna verde. E um longo rasto de melancolia parecia ficar a dissolver-se devagar nas terras por onde o comboio passava.

Era tarde.

Um criado sonâmbulo deambulava entre as mesas.

– Olha – disse ao meu lado um dos meus amigos, mostrando-me as páginas de uma ilustração aberta.

Cidades e cidades bombardeadas, navios, canhões, aviões, máquinas de guerra, e o ridículo Führer, capitão da estupidez, da bestialidade e da desgraça, conduzindo o seu povo.

E de repente levantou-se uma discussão rápida e violenta. Mas, apesar da discussão e das fotografias, a guerra parecia irreal e abstracta como se estivéssemos falando das invasões dos bárbaros ou dos flagelos do ano 2000. A guerra estava longe.

Então o homem do relógio levantou-se e disse:

– Vou ouvir as notícias.

Atrás dele a porta ficou a baloiçar.

Daí a instantes ouviram-se na sala pegada barulhos de telefonia misturados com farrapos de música e línguas estranhas.

Depois uma voz começou a falar claramente.

Levantei-me e fui ouvir.

Rommel no deserto recuava, diziam as notícias.

E de repente, para mim, pelo poder dum nome, a guerra tornou-se real.

Voltei para o bar e sentei-me outra vez na mesma mesa, no meio das conversas.

Rommel no deserto recuava.

E tentei imaginar a noite azul do deserto onde os homens silenciosos recuavam. Tentei imaginar as sombras e a doçura das areias, o brilho lucidíssimo das estrelas, o mistério, a presença suspensa do inimigo invisível, a orla da morte, o terror, a paixão e o denso, agudo e exacto peso de cada momento. E tentei imaginar os homens. Os homens: οἳ ἄνθρωποι. Os homens: lucidamente vencidos, recuando e combatendo, rodeados de morte, medindo os seus gestos, medindo a medida de eficácia dos seus gestos, combatendo por cada passo, sabendo a causa injusta e o combate perdido. Lucidamente vencidos, combatendo sob o brilho lucidíssimo dos astros.

E era tarde.

Tão tarde que nos levantámos todos e saímos, enquanto, sonâmbulo, o criado tirava da mesa todos os copos, que chocando uns contra os outros, tilintaram longamente na bandeja.

Cá fora, mal passámos a porta que dava para a varanda, o grande sopro do mar cobriu-nos, rodeou-nos, invadiu-nos.

O nevoeiro tinha transfigurado tudo.

Agora só cheirava a mar. Um perfume apaixonado de algas escorria das árvores. Lua e estrelas não se viam. Nem os plátanos se viam. Só se viam muros brancos no nevoeiro branco. Tudo estava imóvel e suspenso.

Só a voz do mar se ouvia, espantosamente real, recriando-se incessantemente.

E parecia que os grandes, verdes e violentos espaços marinhos, como sendo o nosso próprio destino, nos chamavam.

HOMERO

Quando eu era pequena, passava às vezes pela praia um velho louco e vagabundo a quem chamavam o Búzio.

O Búzio era como um monumento manuelino: tudo nele lembrava coisas marítimas. A sua barba branca e ondulada era igual a uma onda de espuma. As grossas veias azuis das suas pernas eram iguais a cabos de navio. O seu corpo parecia um mastro e o seu andar era baloiçado como o andar dum marinheiro ou dum barco. Os seus olhos, como o próprio mar, ora eram azuis, ora cinzentos, ora verdes, e às vezes mesmo os vi roxos. E trazia sempre na mão direita duas conchas.

Eram daquelas conchas brancas e grossas com círculos acastanhados, semi-redondas e semitriangulares, que têm no vértice da parte triangular um buraco. O Búzio passava um fio através dos buracos, atando assim as duas conchas uma à outra, de maneira a formar com elas umas castanholas. E era com essas castanholas que ele marcava o ritmo dos seus longos discursos cadenciados, solitários e misteriosos como poemas.

O Búzio aparecia ao longe. Via-se crescer dos confins dos areais e das estradas. Primeiro julgava-se que fosse uma árvore ou um penedo distante. Mas quando se aproximava via-se que era o Búzio.

Na mão esquerda trazia um grande pau que lhe servia de bordão e era seu apoio nas longas caminhadas e sua defesa contra os cães raivosos das quintas. A este pau estava atado um saco de pano, dentro do qual ele guardava os bocados secos do pão que lhe davam e os tostões. O saco era de chita remendada e tão desbotada pelo sol que quase se tornara branca.

O Búzio chegava de dia, rodeado de luz e de vento, e dois passos à sua frente vinha o seu cão, que era velho, esbranquiçado e sujo, com o pêlo grosso, encaracolado e comprido e o focinho preto.

E pelas ruas fora vinha o Búzio com o sol na cara e as sombras trémulas das folhas dos plátanos nas mãos.

Parava em frente duma porta e entoava a sua longa melopeia ritmada pelo tocar das suas castanholas de conchas.

Abria-se a porta e aparecia uma criada de avental branco que lhe estendia um pedaço de pão e lhe dizia:

— Vai-te embora, Búzio.

E o Búzio, demoradamente, desprendia o saco do seu bordão, desatava os cordões, abria o saco e guardava o pão.

Depois de novo seguia.

Parava debaixo de uma varanda cantando, alto e direito, enquanto o cão farejava o passeio.

E na varanda debruçava-se alguém rapidamente, tão rapidamente que o seu rosto nem se mostrava, e atirava-lhe um tostão e dizia:

— Vai-te embora, Búzio.

E o Búzio demoradamente — tão demoradamente que cada um dos seus gestos se via — desprendia o saco do pau, desatava os cordões, abria o saco, guardava o tostão, e de novo fechava o saco e o atava e o prendia.

E seguia com o seu cão.

Havia na terra muitos pobres que apareciam aos sábados em bandos acastanhados e trágicos, e que pediam esmola pelas portas e faziam pena. Eram cegos, coxos, surdos e loucos, eram tuberculosos cuspindo sangue nos seus trapos, eram mães escanzeladas de filhos quase verdes, eram velhas curvadas e chorosas com as pernas incrivelmente inchadas, eram rapazes novos mostrando chagas, braços torcidos, mãos cortadas, lágrimas e desgraça. E sobre o bando pairava um murmúrio incansável de gemidos, queixas, rezas e lamentações.

Mas o Búzio aparecia sozinho, não se sabia em que dia da semana, era alto e direito, lembrava o mar e os pinheiros, não tinha nenhuma ferida e não fazia pena. Ter pena dele seria como ter pena de um plátano ou de um rio, ou do vento. Nele parecia abolida a barreira que separa o homem da natureza.

O Búzio não possuía nada, como uma árvore não possui nada. Vivia com a terra toda que era ele próprio.

A terra era sua mãe e sua mulher, sua casa e sua companhia, sua cama, seu alimento, seu destino e sua vida.

Os seus pés descalços pareciam escutar o chão que pisavam.

E foi assim que o vi aparecer naquela tarde em que eu brincava sozinha no jardim.

A nossa casa ficava à beira da praia.

A parte da frente, virada para o mar, tinha um jardim de areia. Na parte de trás, voltada para leste, havia um pequeno jardim agreste e mal tratado, com o chão coberto de pequenas pedras soltas, que rolavam sob os passos, um poço, duas árvores e alguns arbustos desgrenhados pelo vento e queimados pelo sol.

O Búzio, que chegou pelo lado de trás, abriu a cancela de madeira, que ficou a baloiçar, e atravessou o jardim, passando sem me ver.

Parou em frente da porta de serviço e ao som das suas castanholas de conchas pôs-se a cantar.

Assim esperou algum tempo. Depois a porta abriu-se e no seu ângulo escuro apareceu um avental. Visto de fora, o interior da casa parecia misterioso, sombrio e brilhante. E a criada estendeu um pão e disse:

– Vai-te embora, Búzio.

Depois fechou a porta.

E o Búzio, sem pressa, demoradamente como que desenhando na luz cada um dos seus gestos, puxou os cordões, abriu o saco, tornou a atar o saco, prendeu-o no pau e seguiu com o seu cão.

Depois deu a volta à casa, para sair pela frente, pelo lado do mar.

Então eu resolvi ir atrás dele.

Ele atravessou o jardim de areia coberto de chorão e lírios do mar e caminhou pelas dunas. Quando chegou ao lugar onde principia a curva da baía, parou. Ali era já um lugar selvagem e deserto, longe de casas e estradas.

Eu, que o tinha seguido de longe, aproximei-me escondida nas ondulações da duna e ajoelhei-me atrás de um pequeno monte entre as ervas altas, transparentes e secas. Não queria que o Búzio me visse, porque o queria ver sem mim, sozinho.

Era um pouco antes do pôr do Sol e de vez em quando passava uma pequena brisa.

Do alto da duna via-se a tarde toda como uma enorme flor transparente, aberta e estendida até aos confins do horizonte.

A luz recortava uma por uma todas as covas da areia. O cheiro nu da maresia, perfume limpo do mar sem putrefacção e sem cadáveres, penetrava tudo.

E a todo o comprimento da praia, de norte a sul, a perder de vista, a maré vazia mostrava os seus rochedos escuros cobertos de búzios e algas verdes que recortavam as águas. E atrás deles quebravam incessantemente, brancas e enroladas e desenroladas, três fileiras de ondas que, constantemente desfeitas, constantemente se reerguiam.

No alto da duna o Búzio estava com a tarde. O sol pousava nas suas mãos, o sol pousava na sua cara e nos seus ombros. Ficou algum tempo calado, depois devagar começou a falar. Eu entendi que ele falava com o mar, pois o olhava de frente e estendia para ele as suas mãos abertas, com as palmas em concha viradas para cima. Era um longo discurso claro, irracional e nebuloso que parecia, com a luz, recortar e desenhar todas as coisas.

Não posso repetir as suas palavras: não as decorei e isto passou-se há muitos anos. E também não entendi inteiramente o que ele dizia. E algumas palavras mesmo não as ouvi, porque o vento rápido lhas arrancava da boca.

Mas lembro-me de que eram palavras moduladas como um canto, palavras quase visíveis que ocupavam os espaços do ar com a sua forma, a sua densidade e o seu peso. Palavras que chamavam pelas coisas, que eram o nome das coisas. Palavras brilhantes como as escamas de um peixe, palavras grandes e desertas como praias. E as suas palavras reuniam os restos dispersos da alegria da terra. Ele os invocava, os mostrava, os nomeava: vento, frescura das águas, oiro do sol, silêncio e brilho das estrelas.

O HOMEM

Era uma tarde do fim de Novembro, já sem nenhum Outono.

A cidade erguia as suas paredes de pedras escuras. O céu estava alto, desolado, cor de frio. Os homens caminhavam empurrando-se uns aos outros nos passeios. Os carros passavam depressa.

Deviam ser quatro horas da tarde de um dia sem sol nem chuva.

Havia muita gente na rua naquele dia. Eu caminhava no passeio, depressa. A certa altura encontrei-me atrás de um homem muito pobremente vestido que levava ao colo uma criança loira, uma daquelas crianças cuja beleza quase não se pode descrever. É a beleza de uma madrugada de Verão, a beleza de uma rosa, a beleza do orvalho, unidas à incrível beleza de uma inocência humana. Instintivamente o meu olhar ficou um momento preso na cara da criança. Mas o homem caminhava muito devagar e eu, levada pelo movimento da cidade, passei à sua frente. Mas ao passar voltei a cabeça para trás para ver mais uma vez a criança.

Foi então que vi o homem. Imediatamente parei. Era um homem extraordinariamente belo, que devia ter trinta anos e em cujo rosto estavam inscritos a miséria, o abandono, a solidão. O seu fato, que tendo perdido a cor tinha ficado verde, deixava adivinhar um corpo comido pela fome. O cabelo era castanho-claro, apartado ao meio, ligeiramente comprido. A barba por cortar há muitos dias crescia em ponta. Estreitamente esculpida pela pobreza, a cara mostrava o belo desenho dos ossos. Mas mais belos do que tudo eram os olhos, os olhos claros, luminosos de solidão e de doçura. No próprio instante em que eu o vi, o homem levantou a cabeça para o céu.

Como contar o seu gesto?

Era um céu alto, sem resposta, cor de frio. O homem levantou a cabeça no gesto de alguém que, tendo ultrapassado um limite, já nada tem para dar e se volta para fora procurando uma resposta: A sua cara escorria sofrimento. A sua expressão era simultaneamente resignação, espanto e pergunta. Caminhava lentamente, muito lentamente, do lado de dentro do passeio, rente ao muro. Caminhava muito direito, como se todo o corpo estivesse erguido na pergunta. Com a cabeça levantada, olhava o céu. Mas o céu eram planícies e planícies de silêncio.

Tudo isto se passou num momento e, por isso, eu, que me lembro nitidamente do fato do homem, da sua cara, do seu olhar e dos seus gestos, não consigo rever com clareza o que se passou dentro de mim. Foi como se tivesse ficado vazia olhando o homem.

A multidão não parava de passar. Era o centro do centro da cidade. O homem estava sozinho, sozinho. Rios de gente passavam sem o ver.

Só eu tinha parado, mas inutilmente. O homem não me olhava. Quis fazer alguma coisa, mas não sabia o quê. Era como se a sua solidão estivesse para além de todos os meus gestos, como se ela o envolvesse e o separasse de mim e fosse tarde de mais para qualquer palavra e já nada tivesse remédio. Era como se eu tivesse as mãos atadas. Assim às vezes nos sonhos queremos agir e não podemos.

O homem caminhava muito devagar. Eu estava parada no meio do passeio, contra o sentido da multidão.

Sentia a cidade empurrar-me e separar-me do homem. Ninguém o via caminhando lentamente, tão lentamente, com a cabeça erguida e com uma criança nos braços rente ao muro de pedra fria.

Agora eu penso no que podia ter feito. Era preciso ter decidido depressa. Mas eu tinha a alma e as mãos pesadas de indecisão. Não via bem. Só sabia hesitar e duvidar. Por isso estava ali parada, impotente, no meio do passeio. A cidade empurrava-me e um relógio bateu horas.

Lembrei-me de que tinha alguém à minha espera e que estava atrasada. As pessoas que não viam o homem começavam a ver-me a mim. Era impossível continuar parada.

Então, como o nadador que é apanhado numa corrente desiste de lutar e se deixa ir com a água, assim eu deixei de me opor ao movimento da cidade e me deixei levar pela onda de gente para longe do homem.

Mas enquanto seguia no passeio rodeada de ombros e cabeças, a imagem do homem continuava suspensa nos meus olhos. E nasceu em mim a sensação confusa de que nele havia alguma coisa ou alguém que eu reconhecia.

Rapidamente evoquei todos os lugares onde eu tinha vivido. Desenrolei para trás o filme do tempo. As imagens passaram oscilantes, um pouco trémulas e rápidas. Mas não encontrei nada. E tentei reunir e rever todas as memórias de quadros, de livros, de fotografias. Mas a imagem do homem continuava sozinha: a cabeça levantada que olhava o céu com uma expressão de infinita solidão, de abandono e de pergunta.

E do fundo da memória, trazidas pela imagem, muito devagar, uma por uma, inconfundíveis, apareceram as palavras:

— Pai, Pai, por que me abandonaste?

Então compreendi por que é que o homem que eu deixara para trás não era um estranho. A sua imagem era exactamente igual à outra imagem que se formara no meu espírito quando eu li:

— Pai, Pai, por que me abandonaste?

Era aquela a posição da cabeça, era aquele o olhar, era aquele o sofrimento, era aquele o abandono, aquela a solidão.

Para além da dureza e das traições dos homens, para além da agonia da carne, começa a prova do último suplício: o silêncio de Deus.

E os céus parecem desertos e vazios sobre as cidades escuras.

*

Voltei para trás. Subi contra a corrente o rio da multidão. Temi tê-lo perdido. Havia gente, gente, ombros, cabeças, ombros. Mas de repente vi-o.

Tinha parado, mas continuava a segurar a criança e a olhar o céu.

Corri, empurrando quase as pessoas. Estava já a dois

passos dele. Mas nesse momento, exactamente, o homem caiu no chão. Da sua boca corria um rio de sangue e nos seus olhos havia ainda a mesma expressão de infinita paciência.

A criança caíra com ele e chorava no meio do passeio, escondendo a cara na saia do seu vestido manchado de sangue.

Então a multidão parou e formou um círculo à volta do homem. Ombros mais fortes do que os meus empurram-me para trás. Eu estava do lado de fora do círculo. Tentei atravessá-lo, mas não consegui. As pessoas apertadas umas contra as outras eram como um único corpo fechado. À minha frente estavam homens mais altos do que eu que me impediam de ver. Quis espreitar, pedi licença, tentei empurrar, mas ninguém me deixou passar. Ouvi lamentações, ordens, apitos. Depois veio uma ambulância. Quando o círculo se abriu, o homem e a criança tinham desaparecido.

Então a multidão dispersou-se e eu fiquei no meio do passeio, caminhando para a frente, levada pelo movimento da cidade.

*

Muitos anos passaram. O homem certamente morreu. Mas continua ao nosso lado. Pelas ruas.

1959.

OS TRÊS REIS DO ORIENTE

GASPAR

I

Naquele tempo, na cidade de Kalash, o príncipe Zukarta instaurou o culto do bezerro de oiro.

A estátua poisava nas multidões submissas os seus olhos espantados, muito abertos, pintados de branco e de preto. No fundo das suas pupilas aflorava quase uma interrogação, como se a extensão do seu poder o surpreendesse. Era um jovem bezerro de pequenos cornos torcidos e pernas musculosas, de testa obtusa, curta e franzida. As suas quatro patas, firmemente poisadas na terra, davam uma grande impressão de firmeza e estabilidade que tranquilizava o coração dos seus fiéis. E em todo o seu corpo brilhava o oiro, oiro compacto, duro, pesado, faiscante.

Em frente do ídolo as mulheres curvadas sacudiam sobre o mármore claro dos degraus os sombrios cabelos quase azuis. Dos confins do deserto, dos longínquos oásis, das aldeias perdidas, chegavam homens que depunham em frente do altar a sua oferta: vinham oferecer oiro ao oiro. E os homens bons de Kalash, juízes e chefes guerreiros, desfilavam reverentes em frente do bezerro. Atrás deles vinham os comerciantes, os vendedores, os oleiros, os tecelões. Beijavam os degraus do altar e depunham no chão a sua oferta: traziam oiro ao oiro. Até os sacerdotes da Lua e os seus fiéis e acólitos se prostravam, de joelhos, com a cabeça tocando o solo, em frente do ídolo novo de Kalash.

Zukarta olhava todas estas coisas com grande alegria, pois o culto do oiro era o fundamento do seu poder.

Raros eram aqueles que não acorriam ao templo, cada vez mais raros. Os muito pobres, os muito envergonhados, os muito humilhados, não ousavam apresentar-se. Eles eram como uma raça à parte, pois a pobreza era olhada como o estigma que marcava aqueles que o Bezerro não amava. No fundo das suas almas tão humilhadas que mal ousavam pensar o seu próprio pensamento, os muito pobres, os muito envergonhados esperavam outro deus.

Eles e Gaspar.

Uma delegação de homens importantes veio ao palácio de Gaspar. E disseram:

— Porque não te apresentas no templo do Bezerro? Por acaso te falta oiro para a oferta? Que tens tu de comum com a ralé das docas? Não estás por acaso vestido de púrpura e de linho como um rei? Porque desafias o poder de Zukarta? Serás um traidor? No culto do Bezerro está a prosperidade e a grandeza de Kalash. Estarás vendido aos nossos inimigos?

Gaspar respondeu:

— Não posso adorar o poder dos ídolos. O meu deus é outro e creio no seu advento, que a Terra e o Céu me anunciam.

Ouvindo esta resposta, os chefes das tribos e os homens bons de Kalash disseram:

— Separamo-nos de ti porque te separaste de nós e renegaste os nossos caminhos. Não terás mais parte nas nossas assembleias. Nem serás mais ouvido nos nossos conselhos, nem partilharás dos nossos festejos e banquetes. E também não terás lugar na nossa força. Os soldados não protegerão a tua casa nem as tuas caravanas. E serás presa fácil dos bandidos. Não receberás a protecção das nossas leis, e os nossos juízes julgarão em sentença contra ti, e a tua razão será como um punhado de cinza. Como a gente da ralé não terás nem protecção nem defesa enquanto não te curvares perante o altar do Bezerro para adorar os ídolos que nós adoramos.

E Gaspar respondeu:

– O meu deus é em mim como uma fonte que pára de correr e é em meu redor como o muro de uma fortaleza.

Então os notáveis de Kalash sacudiram a poeira dos seus sapatos e saíram do palácio.

Depois desse dia, muitas calamidades se abateram sobre Gaspar. Os bandidos assaltaram as suas caravanas e os ladrões saquearam os seus palmares. Mãos misteriosas apedrejavam de noite a sua casa e na água das suas cisternas apareciam frutos podres e aves mortas a boiar.

E começou o tempo da solidão.

Nos frescos pátios do palácio não penetraram mais os visitantes e a água correndo nos tanques deixou de acompanhar o leve rumor das conversas. Os parentes e os amigos desapareceram como que devorados pela penumbra e todas as coisas pareciam envolvidas em escândalo e terror.

Porém o tempo crescia.

E Gaspar escutava o crescer do tempo. A solidão criava em seu redor um transparente espaço de limpidez onde os instantes avançavam um por um e o universo inteiro parecia atento. O silêncio era como a mesma palavra inumeravelmente repetida.

E debruçado sobre o tempo Gaspar pensava: «Que pode crescer dentro do tempo senão a justiça?»

*

Ajoelhado no terraço Gaspar olhava o céu da noite. Olhava a alta e vasta abóbada nocturna, escura e luminosa, que simultaneamente mostrava e escondia.

E disse:

– Senhor, como estás longe e oculto e presente! Oiço apenas o ressoar do teu silêncio que avança para mim e a minha vida apenas toca a franja límpida da tua ausência. Fito em meu redor a solenidade das coisas como quem tenta decifrar uma escrita difícil. Mas és tu que me lês e me conheces. Faz que nada do meu ser se esconda. Chama à tua claridade a totalidade do meu ser para que o meu pensamento se torne transparente e possa escutar a palavra que desde sempre me dizes.

*

Primeiro pareceu a Gaspar que a estrela era uma palavra, uma palavra de repente dita na muda atenção do céu.

Mas depois o seu olhar habituou-se ao novo brilho e ele viu que era uma estrela, uma nova estrela, semelhante às outras, mas um pouco mais próxima e mais clara e que, muito devagar, deslizava para o Ocidente.

E foi para seguir essa estrela que Gaspar abandonou o seu palácio.

MELCHIOR

II

A placa de barro tinha passado de geração em geração, de idade em idade, de mão em mão. Nela estava escrito que ao mundo seria enviado um redentor e que uma estrela se ergueria no Oriente para guiar aqueles que buscavam o seu reino.

A placa era um pequeno rectângulo de argila, enegrecido pelo tempo, de aspecto frágil, pobre e gasto. Era um prodígio que tivesse atravessado, sem se perder, tantos séculos de ruínas e opulências, saques, incêndios e guerras. Era um prodígio que tivesse podido atravessar sem se perder a ambição, a violência, a agitação e a indiferença dos homens.

Estava ali, no palácio, alinhada ao lado de milhares de placas que enumeravam vitórias, batalhas, massacres e riquezas.

Os seus caracteres estavam semiapagados pelo tempo e a sua escrita era tão antiga que se tornava difícil decifrá-la com exacto rigor. Muitas leituras eram possíveis.

Por isso o rei Melchior convocou três assembleias de sábios para que juntos averiguassem qual era a justa interpretação daquele texto antiquíssimo.

Primeiro vieram os historiadores, aqueles que tinham

aprendido toda a ciência das bibliotecas e que conheciam até ao menor detalhe a escrita, a linguagem, os usos, os costumes, os anais e os códigos dos tempos idos.

A assembleia reuniu-se durante um mês no palácio do rei. Era o meio do Verão e o calor poisava pesadamente sobre os terraços cegos de sol. Nos jardins as palmeiras roçavam umas nas outras, com um rumor metálico, as suas folhas afiadas e duras como serras.

Ao cair das tardes os sábios sentavam-se em círculo no pátio interior do palácio. Melchior presidia. Um fino murmúrio de água correndo nos tanques acompanhava os debates. Os escravos descalços circulavam em silêncio servindo vinho de tâmara temperado com neve das montanhas.

O círculo de homens sentados descrevia uma área vazia e no centro dessa área tinha sido colocada uma mesa de pedra sobre a qual estava poisada a placa de barro. Parecia extremamente pequena e insignificante, no meio de tanto espaço e opulência, parecia um detrito das eras antigas que ali tinha sido abandonado pelo tempo.

Durante longos debates, durante trinta dias, os sábios estudaram e examinaram meticulosamente cada linha dos caracteres antiquíssimos.

E ao trigésimo dia ergueu-se Negurat, arquivista-mor do templo da Lua, e disse:

– Creio que a leitura que tu, ó rei, fizeste deste texto não é a verdadeira. Pois leste: «Ao mundo será enviado um redentor e uma estrela subirá no Oriente para guiar aqueles que buscam o seu reino.» Mas verdadeiramente é outra a significação deste texto antigo: assim, os caracteres onde leste «redentor» significavam, na remota era em que foi gravada esta placa, não «redentor» mas sim «grande rei»; e os caracteres onde leste «será» e «subirá» não exprimem formas verbais do futuro mas sim formas verbais do passado; e o verbo buscar não está no presente mas sim no pretérito perfeito; e onde leste «para guiar» deverá ser lido, de acordo com os métodos de decifração dos textos antigos, «guiando». Portanto, ó rei, ao contrário daquilo que julgaste ler, este texto não se refere ao futuro mas sim ao passado, e não anuncia o advento de nenhum salvador, mas antes glorifica as obras de um grande personagem dos tempos idos. Assim a leitura correcta deste texto é, em minha opinião, a seguinte: «Ao mundo foi enviado um grande rei que como uma estrela dominou o Oriente guiando aqueles que buscaram o seu reino.»

Quando Negurat acabou de falar, levantou-se Atmad, arquivista-mor do palácio, e disse:

– Grande é a ciência de Negurat. Mas a interpretação da escrita antiga tem terríveis dificuldades. Não há dúvida que no texto apresentado devemos ler «grande rei» e não «redentor». No entanto, não concordo com aquilo que diz respeito às formas verbais: creio que o verbo ser e o verbo subir se encontram realmente no futuro. E também discordo da forma como foram lidas as palavras «guiar», «buscam» e «reino». E penso ainda que o verbo «subir» tem aqui o sentido de «dominar». De forma que, na minha opinião, a leitura correcta do texto é esta: «Ao mundo será enviado um grande rei que como uma estrela dominará o Oriente para engrandecer aqueles povos que aceitarem o seu poder.» Pois esta inscrição é de facto uma profecia, mas uma profecia que já foi cumprida. É evidente que o grande rei é o grande Alexandre que dominou todo o Oriente até ao reino de Pórus e que morreu, como sabeis, em Babilónia.

E quando Atmad acabou de falar, levantou-se o velho sábio Akki, que disse:

— Admirei as sapientes palavras que ouvi. Mas na verdade a leitura deste antiquíssimo texto levanta tantas dúvidas e são tantas as interpretações que podemos propor, que verdadeiramente, ó rei, nada podemos concluir.

Então levantou-se Melchior e disse:

— Ide em paz e continuai os vossos estudos. Eu continuarei a perguntar, a escutar e a esperar.

E no mês seguinte reuniu-se no palácio real a assembleia dos letrados.

Melchior propôs-lhes as dúvidas e as interpretações dos historiadores e durante trinta dias os letrados estudaram o texto.

E no trigésimo dia, ao cair da tarde, estando todos sentados em círculo e estando no meio do círculo a mesa de pedra sobre a qual estava poisada a placa de barro, levantou-se Ken-Hur e disse:

— A poesia não se exprime directamente. Ora o texto que temos em nossa frente é um poema e por isso mesmo deve ser tomado como um metáfora que não se refere nem ao passado nem ao presente nem ao futuro do mundo em que vivemos, mas só ao mundo interior do poeta, que é o mundo da poesia sempre voltado para o devir e para a esperança. Este texto não fala de factos reais e apenas simboliza o espírito criador do homem.

Falou em seguida Amer, que disse:

— Este texto é um poema e coloca-se por isso à margem do vivido. O poema não se refere àquilo que é, mas sim àquilo que não é. Pois a natureza é uma caixa cheia de coisas da qual o poeta extrai uma coisa que lá não está.

E levantou-se depois o irmão de Amer, que disse:

— Num poema não devemos buscar sentido, pois o poema é ele próprio o seu próprio sentido. Assim o sentido de uma rosa é apenas essa própria rosa. Um poema é um justo acordo de palavras, um equilíbrio de sílabas, um peso denso, o esplendor da linguagem, um tecido compacto e sem falha que apenas fala de si próprio e, como um círculo, define o seu próprio espaço e nele nenhuma coisa mais pode habitar. O poema não significa, o poema cria.

E tendo terminado o debate, levantou-se Melchior, que disse:

— Eu vos agradeço as vossas palavras. Por mim continuarei a buscar, a escutar e a esperar.

Então retiraram-se os letrados e o rei ficou sozinho no pátio, em frente da placa de barro, escutando o correr da água e o cair da noite.

*

E no mês seguinte reuniram-se no palácio os homens sapientes. Melchior propôs-lhes as dúvidas dos historiadores e dos letrados e a nova assembleia deliberou durante trinta dias.

E no trigésimo dia levantou-se Kish, que disse:

— As multidões ignorantes curvam-se em frente dos

ídolos, mas aqueles que meditam conhecem a solidão do universo. Que redentor poderemos esperar? O universo é como uma máquina bem regulada que sem princípio nem fim gira lentamente através das idades e dos ciclos. Nas constelações e nas luas, nos triângulos e nos círculos, encontrarás as leis dos números que se cumprem e se cumprirão inexoravelmente. Que redenção poderemos esperar?

E falou depois Maro, que disse:

– Os deuses que existiram extinguiram-se há muito e aquilo que adoramos é apenas a cinza do divino. Qual é, na idade em que vivemos, o homem que viu um anjo? Onde está aquele que ouviu, com os seus ouvidos de carne, a palavra de Ísis ou de Assur? Vivemos um tempo de viuvez e todas as coisas se tornaram cegas e surdas. Num mundo de injustiça e de desordem tentamos sobreviver como animais perseguidos. Quebrou-se o laço que nos ligava ao universo atento. Podemos bater com os punhos na terra, podemos implorar com a cabeça tocando a poeira. Ninguém responderá. Cegou o olhar que nos via e o ouvido que nos escutava secou. Tudo nos é alheio como um lugar que não nos reconhece. E o brilho dos astros impassíveis cintila sobre a nossa tristeza. Quem pode esperar que uma estrela se mova?

Falou em seguida Tot, e disse:

– Nascemos para morrer. Toda a nossa esperança se resolverá em cinza. Onde está o homem que não morreu? O próprio Alexandre, filho de Ámon, que estabeleceu o seu Império desde o Egipto até ao reino de Pórus, morreu miseravelmente nos palácios da Babilónia. E no entanto a sua radiosa juventude parecia mostrar a natureza de um

Deus, e era tão grande a sua perfeição que ninguém a podia julgar mortal. Quem poderia acreditar que morresse o seu corpo equilibrado e liso como uma coluna, a sua inteligência aguda e limpa como o sol, o seu olhar direito que simplificava todas as coisas, o seu rosto brilhante como um estandarte e a sua alegria invencível? Alexandre, príncipe da Macedónia, filho de Ámon, maravilhamento dos povos, conduziu o destino do homem a seus últimos limites, de tal forma que nele todos julgaram que a natureza humana tinha conquistado o divino. Mas Alexandre morreu no trigésimo terceiro ano da sua vida, no cimo da sua força e da sua glória, em pleno esplendor da sua juventude. E assim os deuses nos disseram que o homem não pode ultrapassar o seu destino, e que o seu destino é um destino para a morte. Por isso, ó rei, que poderemos esperar? Nada pode modificar a condição do homem e nesta condição não há lugar para a esperança.

Quando os pensadores se retiraram, Melchior levantou-se do trono e avançou até à mesa de pedra. Entre as grandes colunas que rodeavam o pátio, a placa de argila parecia extraordinariamente frágil e pequena. Mas o rei tocou com a sua fronte as letras quase apagadas.

*

Nessa noite, depois da Lua ter desaparecido atrás das montanhas, Melchior subiu ao terraço e viu que havia no céu, a Oriente, uma nova estrela.

A cidade dormia, escura e silenciosa, enrolada em ruelas e confusas escadas. Na grande avenida dos templos já ninguém caminhava. Só de longe em longe se ouvia, vindo das muralhas, o grito de ronda dos soldados.

E sobre o mundo do sono, sobre a sombra intrincada dos sonhos onde os homens se perdiam tacteando, como num labirinto espesso, húmido e movediço, a estrela acendia, jovem, trémula e deslumbrada, a sua alegria.

E Melchior deixou o seu palácio nessa noite.

BALTASAR

III

O rei Baltasar amava a frescura dos jardins e sorria ao ver na água clara dos tanques o reflexo da sua cara cor de ébano.

E amava a alegria, o rumor e a abundância dos banquetes, e muitas vezes as suas festas duravam até ao romper do dia.

Porém, certa madrugada, depois de se terem retirado todos os convivas, o rei ficou na grande sala, sozinho com um jovem escravo que tocava flauta.

E pareceu-lhe que a melodia desenhava no ar o contorno de um espaço vazio.

Então o seu coração ficou pesado de tristeza, e Baltasar pensou: «Será possível que um dia eu me retire da vida como um conviva saciado que se retira de um banquete? Ou terei sempre a mesma sede, a mesma fome, o mesmo desejo dos momentos e dos dias?»

E tendo pensado isto atravessou a porta da sala e saiu para o jardim.

Cá fora, na luz indecisa da antemanhã, o jardim parecia suspenso. A bruma confundia o desenho claro dos tanques e diluía no ar o contorno das ramagens.

Baltasar caminhou longamente entre flores e palmeiras

até romper o Sol. E quando já era dia chegou a um pequeno terraço que ficava no extremo do jardim. Debruçou-se no parapeito e viu, do outro lado da rua estreita, um homem jovem, encostado a uma parede, que o olhava.

Baltasar ficou imóvel como se o rosto do outro lhe tivesse batido na cara. Ou como se o rosto do outro de repente fosse o seu rosto. Ou como se pela primeira vez na sua vida tivesse visto a cara de outro homem.

O que naquele rosto mais o surpreendia era a nudez, a evidência nua. Era como se naquele rosto o cerimonial da vida tivesse retirado a sua máscara e a realidade mostrasse, sem nenhum véu, o abandono, a dor consciente, a condição do homem.

Era um rosto de homem jovem e magro onde os ossos desenhavam, sem nenhum equívoco, o ideograma da fome. A tristeza subia da mais profunda morada da memória e aflorava inteira à tona das pupilas. A paciência, como uma leve cinza, poisava na testa, sobre os beiços, sobre os ombros. E havia nessa paciência uma doçura tal que Baltasar sentiu de súbito uma vontade aguda de chorar e de se prostrar com a sua própria cara encostada à terra.

E perguntou:

— Tu, quem és?

— Tenho fome — murmurou o homem.

— Entra — disse Baltasar. — Vou mandar que te sirvam os melhores frutos, as melhores carnes, os melhores vinhos. Vou mandar que lavem os teus pés com água perfumada numa bacia de ouro. Vou mandar que te vistam de púrpura. Vou mandar aos meus músicos que toquem para te aprazer as mais belas melodias. Vou mandar vir para ti a tocadora de cítara. Eu próprio colocarei debaixo dos teus pés o tapete mais precioso, e ficarei sentado ao teu lado para desfazer a tua solidão, e escutarei as tuas palavras para que possas tomar parte na alegria e para que as fontes e os jardins do palácio apaguem a tua tristeza.

Porém o homem, ouvindo estas palavras, assustou-se. No rosto negro, debruçado na luz branca do terraço, reconheceu com terror o rosto do rei. E pensou:

«Ai de mim! Para que me chama o rei? Vim espreitar o seu palácio e isto sem dúvida é um crime. É melhor que eu fuja antes que os guardas cheguem.»

Pois aquele homem, como todos os muito pobres, sabia que o mundo era governado por leis que o perseguiam e condenavam, e por isso temia a cada instante ser acusado e preso por uma razão desconhecida. Caminhava num país que não era o seu e onde tudo era para ele insegurança e temor.

E por isso fugiu, sumiu-se ofegante entre as curvas da ruela estreita, sem ver o gesto de Baltasar que o chamava.

E no palácio o rei disse aos seus guardas:

– Ide e procurai nas ruas um homem jovem magro, vestido de farrapos e que tem os olhos cheios de tristeza e de paciência.

Porém, ao cair da tarde, os guardas voltaram e disseram:

– Encontrámos tantos homens esfarrapados, tristes e pacientes que não soubemos distinguir aquele que tu procuras.

Por isso na manhã seguinte o rei Baltasar, tendo despido os seus vestidos de púrpura, envolveu-se num manto de estamenha e saiu sozinho do palácio para procurar o homem.

Desceu pelas ruelas estreitas da encosta, e, longe das grandes avenidas triunfais onde a brisa faz sussurrar as folhas duras das palmeiras, percorreu longamente os bairros pobres da beira do rio. Os carregadores do cais ergueram para ele a face sombria, e o homem que vendia os sapatos de corda poisou no olhar do rei o seu olhar cansado. Viu homens dobrados sob os fardos, viu os que puxavam carroças como bois, lentos e pacientes como bois, viu os que usavam grilhetas nos pés, viu os que deslizavam rente às paredes, silenciosos como sombras, viu os que gritavam, os que choravam, os que gemiam. Viu os que estavam sós, imóveis, encostados aos muros, atónitos, interrogando, para além da voz rouca das ruas, o silêncio opaco, fitando em sua frente a estrada recta do silêncio. Viu os que pescavam pequenos peixes nas águas sujas do rio. Viu os que tinham a cara cor de trapo e as mãos feitas de cinza, cinza leve que voava com o vento. Viu a sombra verde, o reino da paciência, o país da desolação sem margens, o império dos humilhados, o lado esquerdo da vida, a Pátria deserdada, o fundo do mar da cidade.

*

E no dia seguinte o rei reuniu os seus ministros e disse-lhes:

— Mandai distribuir os meus tesoiros e mandai distribuir as reservas acumuladas nos armazéns e nos celeiros. E reparti tudo entre os esfomeados e os pedintes.

Tendo ouvido isto, os ministros retiraram-se para deliberar.

E voltaram passados três dias, e responderam:

— Os teus tesoiros não chegam para resgatar os escravos, e as reservas dos teus armazéns não chegam para saciar os esfomeados. Nem o teu poder chega para alterar a ordem da cidade. Se cumpríssemos aquilo que mandaste, os fundamentos que nos sustentam e os muros que nos protegem ruiriam. O teu desejo é contrário ao bem do reino.

E o rei lhes respondeu:

— Procuro outra lei e procuro outro reino.

Então os ministros retiraram-se, murmurando entre si:

— Vemos que ele nos trai.

*

Na manhã seguinte, dirigiu-se Baltasar ao templo de todos os deuses.

E leu estas palavras gravadas na pedra do primeiro altar:

«Eu sou o deus dos poderosos e àqueles que me imploram concedo a força e o domínio, eles nunca serão vencidos e serão temidos como deuses.»

Seguiu o rei para o segundo altar e leu:

«Eu sou a deusa da terra fértil e àqueles que me veneram concedo o vigor, a abundância e a fecundidade e eles serão belos e felizes como deuses.»

Encaminhou-se o rei para o terceiro altar e leu:

«Eu sou o deus da sabedoria e àqueles que me veneram concedo o espírito ágil e subtil, a inteligência clara e a ciência dos números. Eles dominarão os ofícios e as artes, eles se orgulharão como deuses das obras que criaram.»

E tendo passado pelos três altares, Baltasar interrogou os sacerdotes:

— Dizei-me onde está o altar do deus que protege os humilhados e os oprimidos, para que eu o implore e adore.

Ao cabo de um longo silêncio, os sacerdotes responderam:

— Desse deus nada sabemos.

*

Naquela noite, o rei Baltasar, depois de a Lua ter desaparecido atrás das montanhas, subiu ao cimo dos seus terraços e disse:

— Senhor, eu vi. Vi a carne do sofrimento, o rosto da humilhação, o olhar da paciência. E como pode aquele que viu estas coisas não te ver? E como poderei suportar o que vi se não te vir?

*

A estrela ergueu-se muito devagar sobre o Céu, a Oriente. O seu movimento era quase imperceptível. Parecia estar muito perto da terra. Deslizava em silêncio, sem que nem uma folha se agitasse. Vinha desde sempre.

Mostrava a alegria, a alegria una, sem falha, o vestido sem costura da alegria, a substância imortal da alegria.

E Baltasar reconheceu-a logo, porque ela não podia ser de outra maneira.

ÍNDICE